Na de storm

Na de storm

Hennie Molenaar
Met tekeningen van Daniëlle Schothorst

LEESN!VEAU

	ME ME ME ME ME							
AVI	S	3	4	5	6	7	P	
CLIB	S	3	4	5	6	7	8	P

familie; historie

Toegekend door Cito i.s.m. KPC Groep

avi 9

1e druk 2009
ISBN 978.90.487.0318.0
NUR 283

Vormgeving: Rob Galema

© 2009 Tekst: Hennie Molenaar
© 2009 Illustraties: Daniëlle Schothorst
Uitgeverij Zwijsen B.V. Tilburg

Voor België:
Uitgeverij Zwijsen.be, Antwerpen
D/2009/1919/202

Inhoud

voor mijn vader

Kerstvakantie 1952

Adriaan was er bijna. Hij wist waarom hij niet zo vaak naar zijn ouders ging. Met autobus, trein, twee trams, veerboot en nog twee bussen duurde de reis van Delft naar Herkingen bij elkaar ruim vier uur. Iedere keer als hij zich lekker had geïnstalleerd, moest hij alweer overstappen. Van tevoren had hij een lijstje gemaakt met daarop alle busnummers en vertrektijden en dat was heel verstandig geweest. Op het Zuidplein had Adriaan werkelijk moeten rennen om op het nippertje de tram naar Hellevoetsluis te halen. Maar nu naderde hij het dorp. Hij zag de oude korenmolen en het spitse kerktorentje boven het weidse land uitsteken. Ze reden Herkingen binnen en de autobus stopte bij de halte op de kruising. Adriaan groette de buschauffeur vriendelijk, stapte uit en liep de tweehonderd meter naar zijn ouderlijk huis. Het was waterkoud en winderig en er was niemand op straat. Toen hij de Nieuwstraat bereikte, ging net de voordeur open en kwam zijn moeder naar buiten.

'Ach jongen, je bent er al,' merkte ze op. 'Ik wilde naar de bushalte komen.'

'De bus was bijtijds vandaag,' vertelde Adriaan. 'Hij scheurde over de dijken. Ik vreesde dat we er vanaf zouden vliegen.'

'Gelukkig ben je heelhuids aangekomen. Kom maar

lekker binnen. Ik ga meteen koffie zetten.'

Ze liepen via de zijdeur de bijkeuken in en Adriaan zette zijn koffertje en versleten schoenen onder de massiefhouten kapstok. Corry, zijn zus van negentien, kwam naar beneden gedenderd om hem te begroeten.

'Zo broertje, kom je je gezicht weer eens laten zien?' plaagde ze, terwijl ze door zijn warrige haardos woelde. Samen liepen ze de keuken in en gingen aan de eettafel zitten.

'Jullie moeten de groeten hebben van Marie en Klaas,' zei Adriaan. 'Ze hadden eigenlijk ook willen komen met de kerstdagen, maar Marie heeft griep gehad en dan met die dikke buik op stap, dat leek haar niet zo verstandig.'

Adriaan was twaalf jaar en woonde sinds de zomervakantie bij zijn oudste zuster, die hoogzwanger was van haar eerste kindje. Op het Zuid-Hollandse eiland was alleen een ULO en Adriaan was zo intelligent, dat zijn ouders het belangrijk vonden dat hij doorleerde. Daarom zat hij op de HBS van het Christelijk Lyceum in Delft en kwam hij alleen in de schoolvakanties thuis. Het was bijna Kerstmis en Adriaan had anderhalve week vrij. Na Nieuwjaar zou hij terugreizen.

Zijn moeder maakte zoveel lawaai met het malen van de koffiebonen, dat hij haar niet verstond.

'Wat vroeg u, moeder?'

Ze deed de versgemalen koffie in het filter en goot er voorzichtig kokendheet water op. 'Of je je rapport hebt meegenomen. Ik neem tenminste aan dat je dat voor de vakantie gekregen hebt.'

'Het zit onder in mijn koffer. Ik zal het dadelijk pakken.'

Corry reikte hem een dikke plak zelfgebakken kruidkoek aan. 'Krijg je wel genoeg te eten bij Marie, broertje? Je ziet er dunnetjes uit.'

'Dat is zijn leeftijd,' stelde zijn moeder haar gerust. 'Eerst gaat hij de hoogte in; de breedte volgt later vanzelf.' Ze had intussen koffie ingeschonken. 'Als je dit opgedronken hebt, wil je dan direct je spullen opruimen? Vader zou eerder thuiskomen, dan kunnen jullie nog even samen het dak op.'

'Hoezo?'

'Er moeten een paar dakpannen vastgelegd worden voordat de januaristormen losbarsten. Misschien lukt het nog voordat het donker wordt.'

'Vooruit maar,' antwoordde Adriaan. Hij had niet zoveel zin in het karweitje, maar zijn vader had hoogtevrees en durfde niet alleen het dak op te klimmen. Adriaan zou tot de volgende dag moeten wachten voor hij zijn oude kameraden kon opzoeken. Hij vond het in ieder geval plezierig weer thuis te zijn.

Nadat hij zijn spullen had uitgepakt, keek Adriaan door het zolderraampje over het kleine dorp. Hij zag de daken van de kleine arbeidershuisjes en een stukje verderop de Grevelingendijk, bij de haven. Misschien kon hij daar morgen een kijkje nemen, samen met Marinus, zijn oude vriend van de lagere school. Marinus' vader was visser en vroeger mochten de jongens vaak mee op zijn vissersschuit. In de winter was het te koud om te varen, maar in de haven viel meestal wel wat te beleven. Adriaan voelde iets langs zijn benen strijken. Het was Brammetje, de rode kater.

'Hé, oude muizenvanger,' begroette Adriaan hem enthousiast en kroelde zachtjes de dikke wintervacht van de kater. Het leek alsof het beestje iedere keer wanneer Adriaan thuiskwam dikker was geworden.

'Waar is mijn slimme zoon?' hoorde hij ineens vader roepen. Adriaan schrok en liet Brammetje gaan. Hij pakte zijn rapport en liep naar beneden. Tijd om aan de slag te gaan!

De volgende morgen belde Adriaan aan bij een huisje langs de Herkingsezeedijk, een kleine kilometer buiten het dorp. De voordeur werd geopend.

'Goedemorgen Adriaan,' zei mevrouw Struijk opgewekt. 'Wat een verrassing. Ben je weer thuis?'

'Ja mevrouw, ik heb anderhalve week vakantie.'

'Gaat alles voorspoedig daar in de grote stad? Kun je een beetje opschieten met die Randstedelingen? En hoe maakt je zuster het?'

'Het gaat gelukkig allemaal uitstekend. Marie loopt op alle dagen, daarom zijn zij en Klaas niet meegekomen.'

'Ach jongen, krijgen je ouders alweer een kleinkind

erbij? Wat gaat het allemaal toch snel.'

'Precies, mevrouw Struijk. Is Marinus misschien thuis?'

'Ik zal hem roepen. Hij voert de kippen.'

Tien minuten later liepen de jongens samen over de Grevelingendijk. Ze hadden elkaar twee maanden niet gezien. Marinus was de afgelopen zomer van school gekomen en in opleiding gegaan op de vissersschuit van zijn vader. Het grootste gedeelte van het jaar gingen ze iedere dag, behalve zondag, het water op en Marinus leerde alle kneepjes van het vissersvak. Hij vond het werkelijk geweldig.

'Iedere dag buiten, de wind om je hoofd. Dat is het mooiste wat er is.'

'Maar is het niet eentonig?' Het leek Adriaan helemaal niets.

'Welnee, het is juist gevaarlijk, typisch mannenwerk. We hebben geweldig veel plezier met elkaar. 's Avonds heb je tenminste het gevoel dat je gewerkt hebt. Dat is waarschijnlijk anders als je de hele dag op school gezeten hebt.'

Adriaan kon niets dan toegeven. 'Maar ik houd ervan dingen te leren. Er is nog zoveel onbekend voor mij.'

Marinus luisterde niet meer. 'Adriaan, moet je kijken, er zitten flinke kieren in de dijk.'

Adriaan volgde nauwlettend de wijsvinger van zijn vriend. De Grevelingendijk zag er inderdaad erbarmelijk uit. 'Hoe komt dat?'

'Dat is het gevolg van de inundatie door de Duitsers tijdens de Tweede Wereldoorlog,' antwoordde Marinus. In 1944 hebben de Duitsers hele gedeelten van Zeeland en Goeree-Overflakkee onder water gezet, zodat de bevrijders de Randstad niet gemakkelijk konden naderen.

'Het zeewater is natuurlijk verdwenen en de gaten zijn dichtgemaakt, maar de dijken zijn zolang vochtig geweest, dat ze poreus zijn geworden. Het wordt tijd dat er drastische maatregelen genomen worden.'

'Waarom gebeurt dat dan niet?' vroeg Adriaan geïnteresseerd.

Marinus haalde zijn schouders op. 'Geldgebrek, andere dingen die ze belangrijker vinden. We rekenen er maar op dat er voorlopig geen hoogwater zal komen.'

Adriaan vond Marinus erg volwassen en serieus klinken. 'Hoe weet jij dat eigenlijk allemaal?'

'Van mijn vader, die in de dijkcommissie zit en vaak mopperend thuiskomt van waterschapsvergaderingen. "Alleen maar discussiëren en niets aanpakken," zegt hij. Hij vermoedt dat het niet goed kan blijven gaan.'

Adriaan voelde zich ongerust worden. Zou het inderdaad eens fout kunnen gaan? Hij wilde er liever niet meer over praten.

'Kom, we gaan naar de haven.'

Hoewel er in de haven een aantal vissersboten lag, oogde het verlaten. In de zomermaanden was het in de haven gewoonlijk een vrolijke bedoening, maar op zo'n gure, winderige winterdag was er weinig te beleven.

Adriaan merkte dat hij geen gespreksonderwerp meer had. Marinus wilde hem de vissersschuit van zijn vader laten zien, maar hijzelf wilde liever ergens naar binnen gaan om op te warmen. Ze wandelden even verder door Herkingen, maar toen het begon te regenen, namen ze afscheid.

Adriaan bracht de verdere vakantie voornamelijk bij zijn ouders door. Eerste kerstdag gingen ze tweemaal naar de kerk, tweede kerstdag nog een keer. De rest van de periode hielp hij zijn ouders met allerhande karweitjes. De houten schuur moest gerepareerd worden en vader had een aantal rekeningen die hij ingewikkeld vond. Zijn oudere broers hadden hun eigen gezinnen en kwamen alleen op één januari langs om iedereen gelukkig nieuwjaar te wensen. Bij de hete chocolademelk en warme oliebollen met rozijnen, krenten en poedersuiker spraken ze over wat het nieuwe jaar zou kunnen brengen.

'Hopelijk wordt het niet zo'n strenge winter als in '48 of '49. Ik voel er weinig voor weer onbereikbaar te worden doordat het Haringvliet dichtvriest,' begon Cornelis, de oudste.

'Niet zo pessimistisch,' reageerde vader. 'We hebben genoeg voedsel, en Adriaan bezoekt ons toch pas weer met Pasen.'

'Ik zou het wel verdrietig vinden wanneer we niet bij de baby van Marie konden gaan kijken.' Moeder was stapelgek op haar kleinkinderen. Cornelis had al twee kinderen en Bertus, haar andere zoon, was afgelopen zomer vader van een dochtertje geworden.

Bertus bromde: 'Ik heb in ieder geval begrepen dat het hele huis weer stormklaar is.' Hij keek plagerig naar zijn jongste broer. 'Wat jij, Adriaan!'

Adriaan grinnikte. Hij had dagenlang spierpijn gehad door het vasttimmeren van de schuurplanken en het bewaren van zijn evenwicht op het schuine dak. Maar hij was ontzettend gelukkig. Dit miste hij sinds hij in Delft woonde. Gezellig kletsen met zijn broers, met z'n allen rond de grote eettafel in het kleine keukentje, terwijl de oliekachel gloeide. Marie en Klaas zorgden goed voor hem, maar hadden meestal zoveel aan hun hoofd dat ze zich weinig met hem bemoeiden. Hier, in Herkingen, dat was thuis.

De volgende ochtend vertrok Adriaan weer. Zijn moeder en Corry brachten hem naar de bushalte. Toen de autobus arriveerde, stopte zijn moeder hem nog een gulden toe en een trommeltje met een paar stukken kruidkoek. 'Voor onderweg.' Adriaan glimlachte, gaf hen allebei een klinkende zoen en stapte in. Terwijl de autobus wegreed, keek hij door de achterruit, net zolang tot ze niet meer te zien waren. Toen draaide hij zich om en sloot zijn ogen, om zijn tranen terug te dringen. Het werd weer een lange reis. 1953 was begonnen.

Bericht van thuis

Adriaan keek op de klok boven de ingang van het klaslokaal. Kwart voor twaalf. Het leek alsof er nooit een einde aan deze zaterdagochtend kwam. In het donker was hij om acht uur vanmorgen naar school gefietst, voor een heel saaie aardrijkskundeles over de industrie in noordoost Groningen en een nog saaier uur algebra, het vak dat hem het gemakkelijkst afging. Daarna hadden ze gymnastiek gehad. Zwaaien aan de ringen; dat vond Adriaan wel aardig. Maar het vervelende van leukere lessen was, dat die altijd het vlugste voorbijgingen. Dit laatste uur hadden ze Nederlands. Meneer Martens met zijn eentonige stemgeluid zorgde ervoor dat het Adriaan moeite kostte wakker te blijven. Buiten loeide de noordwestenwind en er sloeg een slappe tak van de treurwilg, die naast de ingang van de school stond, tegen de ramen. Hij zou vanmiddag alweer niet kunnen schaatsen. Dat was er deze winter nog niet van gekomen.

'Meneer De Geus, bent u nog aanwezig?'

Adriaan schrok op.

'Kunt u mijn vraag beantwoorden?'

Adriaan had geen vraag gehoord.

'Lijdend voorwerp,' siste Frederik, naast hem. Adriaan las de zin op het schoolbord en wist het goede antwoord te produceren.

'Voortaan de aandacht erbij houden, jongeman,' mopperde Martens, 'zodat je niet afhankelijk van je buurman bent.'

Adriaan haalde opgelucht adem. De rest van het uur probeerde hij bij de les te blijven.

Klokslag twaalf uur holde hij naar de fietsenstalling, pakte zijn oude herenfiets en racete naar huis. Gelukkig had hij de wind mee, zodat hij spoedig in de Julianalaan was. Op zaterdag werd er meestal een brief van moeder bezorgd, met alle nieuwtjes over thuis. Hij parkeerde zijn fiets onder aan de trap en spurtte naar boven. Nadat Jaapje twee weken geleden geboren was, had Adriaan een eigen huissleutel gekregen, zodat Marie niet naar de voordeur hoefde te komen als ze de baby voedde of verschoonde. Adriaan opende de deur en sloop stilletjes naar binnen, want soms sliepen moeder en zoon als hij thuiskwam. Maar vandaag niet.

'Goedemiddag jongen,' zei zijn zuster, die bij het kolenfornuis in een pan erwtensoep stond te roeren. 'Ging het fietsen een beetje, met die stormachtige wind?'

'Geen probleem,' antwoordde Adriaan stoer. 'Ik had hem vooral van achteren. Is er een brief uit Herkingen gekomen?'

'Ga eerst eens zitten en doe je schoenen uit. We kunnen zo aan tafel.'

Adriaan gehoorzaamde. Hij wist dat hij toch geen mogelijkheid zou krijgen te lezen, totdat hij gedaan had

20

wat zijn zuster hem opdroeg. Hij peuterde zijn veters los, zette zijn schoenen bij de kolenkachel en trok daarna zijn pantoffels aan.

Adriaan pakte een stapeltje met post van het dressoir. Drie rekeningen, het personeelsblaadje van de Gistfabriek en een crèmekleurige enveloppe. De brief was geopend.

28 januari '53
Lieve kinderen,
Hoe gaat het in Delft? En met mijn nieuwe, allerliefste kleinzoon? Jullie vader en ik kunnen nauwelijks wachten tot we hem mogen bewonderen. Eigenlijk wilden wij aanstaande zaterdag komen, maar vader kan pas in de namiddag vertrekken. Bovendien zeggen ze dat het gaat stormen, zodat ik liever niet met de veerboot reis. Jullie weten hoe snel jullie moeder zeeziek wordt. Dus wellicht volgende week?
Hoe gaat het met de jonge moeder, ben je alweer opgeknapt, Marie? Doe maar rustig aan, meisje, en laat je verwennen door de jongens. Dat heb je absoluut verdiend. En Adriaan, doe je nog steeds je best op school? Maak je goed je huiswerk? Dat zal niet meevallen, met een huilende baby in de buurt. Kon ik maar even om een hoekje kijken.
Hier gaat alles uitstekend. Corry is druk bezig haar bruiloft te regelen. Johan komt bijna iedere middag op bezoek en dan zitten ze steeds te smiespelen aan de keukentafel. Ik laat ze maar, zo kan ik ze tenminste in de gaten houden. Bij Bertus en Cornelis gaat het allemaal uitstekend, nog

geen griepepidemie of kinderziekten deze winter. Marijke heeft eergisteren voor het eerst gelopen. Jullie zouden je broer moeten horen, zo trots als hij is op zijn kleine meid. Vader en ik zijn in blakende gezondheid.

Nou kinderen, hier laat ik het bij voor vandaag. Adriaan, luister naar wat Marie zegt, maak netjes je huiswerk en ga iedere zondag gehoorzaam naar de kerk. En Marie, ik wil alles weten over Jaapje, dus schrijf je snel terug? Groeten aan Klaas.

Veel liefs,
jullie moeder

Adriaan vouwde de brief dicht en stak hem terug in de enveloppe.

'Ze willen ons volgende week bezoeken,' riep hij enthousiast.

'Waarschijnlijk komt moeder alleen,' meende Marie, terwijl ze de soepborden op de keukentafel zette. 'Vader kan nooit zo lang afwezig zijn.'

'Maar hij heeft het in de winterperiode niet druk. Hij hoeft pas begin maart het land weer op.'

Vader was landarbeider en moest in de winter ander werk vinden om rond te komen. Vroeger bezorgde hij stookolie voor de kachels, maar steeds meer huishoudens gebruikten steenkool. Als het niet vroor, werd er gebouwd. Er kwamen nieuwe huizen aan de rand van Herkingen. Soms kon hij daar hand- en spandiensten verlenen.

'We zullen het wel merken,' zei Marie. De baby liet zich weer horen en direct was er geen normaal gesprek meer mogelijk in de kleine bovenwoning. 'Roer jij even in de erwtensoep, zodat die niet aanbrandt?'

Marie kwam overeind en liep naar het kleine kamertje, waar het wiegje stond, om Jaapje te troosten. Snel was hij weer gekalmeerd. Adriaan vond zijn kleine neefje prachtig. Hij had niet geweten dat pasgeboren kindjes zo klein en aandoenlijk waren. Vooral als Jaapje sliep en een beetje zijn voorhoofd fronste en met zijn mollige armpjes zwaaide, kon Adriaan er lang naar kijken. Alleen als de baby het op een krijsen zette, bleef hij liever uit zijn buurt. Dat was zo'n hoog, doordringend en zielig geluid dat je niets anders meer hoorde.

Beneden ging de buitendeur open en Adriaan hoorde zijn zwager de trap op stommelen. 'Mensen, wat een noodweer. Ze zeggen dat het morgen nog erger wordt,' verkondigde Klaas, terwijl hij de keuken binnenkwam.

'In het halletje graag met die natte spullen,' mopperde Marie, die ineens weer naast Adriaan stond. 'Alles wordt kleddernat.'

Gehoorzaam ging Klaas terug naar het halletje en kwam pas terug nadat hij andere kleren had aangetrokken en zijn haar had gedroogd.

'Je hebt je kleding toch niet zomaar neergegooid?' vroeg zijn vrouw.

'Ik heb ze onder de beddenlakens gestopt,' antwoordde hij plagend.

Adriaan grinnikte. Hij mocht zijn zwager graag. Hij was in ieder geval niet zo serieus als Marie. Ze genoten in stilte van hun erwtensoep die heerlijk smaakte, met grote stukken spek en rookworst erin; precies goed bij dit onstuimige weer. Na het middageten hielp Adriaan Klaas met afwassen, terwijl Marie de baby voedde.

'Staan wij mannen zomaar vrouwenwerk te doen,' beweerde Klaas, terwijl hij de grote soeppan uitschuurde. 'Dat krijg je met zo'n kleine hummel in huis.'

'Ik vind het niet vervelend, hoor,' zei Adriaan, 'Marie heeft genoeg om handen.'

Toen Klaas weer naar zijn werk vertrokken was, begon Adriaan aan zijn huiswerk voor maandag. Dan had hij meetkunde en Frans, schoolvakken waar hij altijd veel voor moest doen. Hij liep naar zijn zolderkamertje om de juiste boeken te pakken. De regen kletterde op het schuine dak en hij hoorde de balken kraken. Zo snel mogelijk ging hij weer naar beneden, waar de kachel tenminste brandde. Adriaan maakte zijn huiswerk het liefste aan de keukentafel.

Toen hij klaar was, deed Adriaan zijn zaterdagse klusjes: kolen uit de kelder halen, zijn zolderkamer opruimen en nog snel brood kopen bij de bakker, voordat het uitverkocht was. Het werd vroeg donker, om kwart over vier deden ze de lampen aan. Tegen halfzes arriveerde zijn zwager, doodmoe en alweer drijfnat.

'Het wordt alleen maar erger,' klaagde Klaas. 'Het is

goed dat ik de wind van achteren had, anders was ik nooit thuisgekomen.'

Die zaterdagavond besloot Adriaan vroeg zijn bed op te zoeken. Hij waste zich bij het aanrecht, poetste zijn tanden en knuffelde zijn kleine neefje.

'Voorzichtig hoor,' waarschuwde Marie. 'Het is allemaal nog heel breekbaar.'

'Natuurlijk,' zei Adriaan. 'Ik ga naar boven, ik ben ontzettend moe. Welterusten allebei.'

Hij ging de trap op en kleedde zich uit op zijn ijskoude zolderkamertje. Snel kroop hij tussen de frisse lakens en pakte zijn Biggles-boek. Eigenlijk was het verboden dat te lezen. Zijn ouders vonden de avonturen van Biggles ongeloofwaardig en vooral niet christelijk genoeg. Gelukkig konden ze hem op dit moment niet in de gaten houden.

De regen viel nog altijd met bakken uit de hemel, en buiten leek van alles te kraken. Wat is het toch ontzettend behaaglijk om in een warm bed te liggen, bedacht hij, vlak voor zijn ogen langzaam dichtvielen.

Storm

Die zondagochtend werd Adriaan wakker van een gigantisch lawaai. Het leek alsof het dak naar beneden stortte. Hij opende geschrokken zijn ogen en ontdekte dat alles op zijn zolderkamertje nog normaal was. Ook vanuit het dakraam ontwaarde hij niets bijzonders, het was donker en de regen kletterde tegen het vensterglas. Hij trok zijn pantoffels aan en liep naar beneden. Klaas was ook opgestaan.

'Kom eens kijken,' fluisterde hij en nam Adriaan mee de grote slaapkamer in, naar het venster. Hij schoof het veloursgordijn opzij. Toen zag de jongen wat er gebeurd was. De grote esdoorn, achter in de tuin van de benedenburen, was omgewaaid. Hij leek geknapt als een flinterdun twijgje en was boven op de ligusterhaag terechtgekomen. Gelukkig was de boom niet tegen de ramen gevallen.

'Mensenlief, kijk toch eens, het is echt noodweer,' zei Klaas. 'Het is levensgevaarlijk om naar buiten te gaan.'

Adriaan keek nog eens goed. Hij miste veel meer bomen die hij normaal gesproken hiervandaan kon zien. Plotseling zeilde er iets donkers door de lucht en hoorde hij glasgerinkel. Marie schrok wakker.

'Wat gebeurt er allemaal?' fluisterde ze geschrokken. 'En wat doet Adriaan hier?'

'Er is een dakpan door het tomatenkasje van de benedenburen gevallen,' rapporteerde haar broertje. 'Het is vreselijk weer. Je kunt beter onder de dekens blijven.'

'Het is al tegen achten, jullie moeten zo naar de kerk,' zei ze zenuwachtig. 'Mijn slaapkamer uit en aankleden.'

Gehoorzaam liep Adriaan de trap weer op, maar boven gekomen kreeg hij ineens waterdruppels op zijn hoofd. Het lekte. Dat kwam natuurlijk door die dakpan, die eraf was gewaaid. Hij holde naar de keuken om een emmer te pakken. Klaas ging met hem mee om de schade te inspecteren.

'Hm, het lijkt mee te vallen. Het lekt alleen hier bij de zoldertrap, gelukkig niet boven je bed of je studieboeken. Zet de emmer maar onder de drup en controleer regelmatig of het niet erger wordt. Misschien is het niet zo verstandig vanochtend naar de kerk te gaan, met al die rondvliegende dakpannen. Kleed je maar vlug aan, dan kunnen we met moeder de vrouw overleggen.'

Adriaan kreeg een knoop in zijn maag. Enerzijds wilde hij uren naar buiten kijken, vooral wanneer het lichter zou worden, want het was natuurlijk een spectaculair gezicht. Aan de andere kant vond hij het griezelig. De ramen kraakten zo, dat het leek of ze ieder moment konden knappen. Naar buiten gaan zou onverstandig zijn. Hij hoopte dat Marie wilde luisteren.

Toen Adriaan beneden kwam, zat Marie de baby te voeden en intussen met Klaas te kibbelen.

'Waarom zouden jullie niet naar de kerk gaan? Het is immers zondag en er wordt op jullie gerekend.'

Marie ging zelf niet, omdat ze kortgeleden bevallen was en bij Jaapje moest blijven. Daarom vond ze het extra belangrijk dat haar mannen wel gingen.

'Heb je al naar buiten gekeken vanochtend? We komen nooit heelhuids daar.'

'Als je voorzichtig bent, zal dat wel meevallen. Stel je voor dat iedereen bij de minste tegenslag thuisbleef.'

'God zal hier wel begrip voor kunnen opbrengen,' bromde Klaas.

'Godslasteraar!' Marie leek vuur te spuwen en Jaapje, die nog steeds op haar schoot lag, zette het op een brullen. 'Zo spreek je niet over de Heer.'

'Sorry,' zei haar echtgenoot, terwijl hij de baby van haar overnam. 'Dat had ik niet mogen zeggen. Maar vandaag blijven we thuis. Ik zal zo meteen een lang gedeelte uit de Bijbel voorlezen en we zullen de Heer om vergeving vragen en bidden of Hij waakt over onze familieleden op de eilanden.'

Met schrik bedacht Adriaan dat Klaas gelijk had. Op Goeree-Overflakkee was de storm zeker vele malen erger. Zouden zijn ouders hebben kunnen slapen vannacht? En zouden de dakpannen, die ze in de kerstvakantie goed gelegd hadden, zijn blijven liggen? En zijn broers en hun gezinnen? Zou de kleine Marijke bang geweest zijn? Jammer dat ze geen telefoon hadden, zodat ze het konden vragen.

'Adriaan, kom je nog helpen?'

Zijn zuster was nog steeds geïrriteerd, maar ze kon niet anders dan zich erbij neerleggen dat de mannen niet naar de kerk zouden gaan. Adriaan pakte het broodbeleg uit de provisiekast en zette de kopjes alvast op de keukentafel.

Het zou geen gezellig ontbijt worden. Klaas las een lang hoofdstuk uit Prediker; hij vond het blijkbaar toepasselijk. Daarna sprak hij een gebed uit, waarin hij God vroeg over iedereen te waken.

Na het ontbijt stond Adriaan lange tijd naar buiten te kijken. Het stormde nog altijd verschrikkelijk. Niemand waagde zich op straat en er vloog van alles rond. Boomtakken, tuinhekjes en zelfs een kinderfietsje. Zulk noodweer had hij nog nooit meegemaakt.

's Middags werd de storm minder en besloten ze wel naar de kerk te gaan. Onderweg ernaartoe hielden ze zich aan elkaar vast en Klaas had zijn gleufhoed beter thuis kunnen laten. De kerkdienst duurde een eeuwigheid, zeker nu de ramen kraakten en de regen op het dak kletterde, zodat de dominee amper te verstaan was. Na afloop zocht Adriaan het gezelschap op van een aantal schoolvrienden. Iedereen was opgewonden over wat er allemaal gebeurde.

'Het leek wel of de toren heen en weer zwiepte.'

'Dat nieuwe warenhuis, met die grote ramen, nou, daar zit geen ruit meer in.'

'In het Wilhelminapark liggen wel honderd bomen omver.'

'Ik zag een meneer met een klein hondje en gelukkig zat dat aan de lijn, want het waaide zo de lucht in.'

Adriaan moest lachen om dat laatste. Hij zag het helemaal voor zich. Maar toen ze terugliepen, moest hij weer aan zijn moeder denken, en hoe angstig ze altijd was als het zo stormde.

'Het water kan altijd komen,' had hij haar vroeger vaak horen zeggen.

Slachtoffers?

Maandagochtend was het weer nog steeds onstuimig, en Adriaan moest zo hard tegen de noordenwind in fietsen dat hij hijgend en bezweet op school aankwam. Hij was bijna te laat. De meeste leerlingen zaten al in de aula voor de weekopening. Het was zeer rumoerig en het kostte de rector moeite iedereen stil te krijgen. Toen dat eindelijk gelukt was, zei hij:

'Goedemorgen jongelui, het doet mij plezier jullie allemaal weer heelhuids op school te zien. Hier in Delft is het gelukkig allemaal meegevallen met het noodweer. Laten we hopen dat de schade in de ondergelopen gebieden meevalt en dat er niet teveel slachtoffers zijn.'

Ondergelopen gebieden? Slachtoffers? Waar had die man het over? Adriaan stootte verschrikt zijn buurman aan, maar die haalde zijn schouders op. 'Ik weet van niets.'

De leraar godsdienst, dominee Risseeuw, las psalm 25 voor en sprak zijn standaardgebed uit. Daarna mochten ze naar hun lokaal. In de gangen hoorde Adriaan anderen praten over 'Dordrecht' en 'helemaal ondergelopen' en hij schoot een jongen aan, die op dat moment iets zei over Voorne-Putten.

'Wat is er precies gebeurd?'

'Heb je dan niets gehoord? Jij bent zeker zo'n strenggereformeerde, bij wie op zondag de radio niet aan gaat. Jullie hebben zeker ook geen krant?' De jongen keek hem fronsend aan. 'Weet je helemaal niets?'

'Nee.'

'Er wordt beweerd dat op veel plaatsen het water heel hoog gekomen is en dat er dijkdoorbraken en overstromingen zijn geweest.'

'Waar precies?' vroeg Adriaan een beetje angstig.

'Dordrecht, Papendrecht, Hoekse Waard, Voorne-Putten. Verder weet ik het niet, dat was wat er vanochtend in ons dagblad stond. Hé, ik moet naar de gymnastiekzaal.'

'Bedankt,' riep Adriaan hem achterna.

Het maalde in zijn hersenen. Als die plaatsen ondergelopen waren, kon het op Goeree-Overflakkee nooit droog gebleven zijn. Toen hij het klaslokaal binnenkwam, merkte hij dat er klasgenoten ontbraken.

'Waar is Eliza? En Maartje en Karel en Frederik,' fluisterde hij tegen Marco, die naast hem kwam zitten. 'Ze zijn toch niet allemaal ineens ziek?'

'Volgens mij niet, maar ze hebben wel allemaal familie in die ondergelopen gebieden en in Zeeland, misschien heeft het daar iets mee te maken.'

Adriaan kon zich maar moeilijk concentreren. De lessen gingen in een waas aan hem voorbij. Het duurde en duurde maar en hij wilde weten hoe het met zijn ouders was, met Corry, Jacobus, Bertus en alle anderen. Hij wilde naar huis, maar hij besefte dat Marie hem gewoon weer zou terugsturen, als hij te vroeg thuiskwam. Ze zou weigeren te luisteren.

Om drie uur mocht hij eindelijk vertrekken. Hij holde naar de fietsenstalling, bond zijn schooltas slordig achterop en reed met een noodvaart naar de Julianalaan. Nogal onbesuisd gooide hij zijn rijwiel tegen de voorgevel en rende stampend de trappen op. Door zijn zenuwen lukte het Adriaan niet de voordeur te openen en terwijl hij nog met zijn huissleutel stond te friemelen, deed Marie open.

'Wat doe je paniekerig, waar is de brand?'

'Heb je dan niets gehoord?'

'Hoezo?'

'De overstromingen. Er zijn overal dijken doorgebroken. Vader en moeder kunnen wel verdronken zijn!'

Marie werd bleek. 'Waar heb je het over?' stamelde ze, terwijl ze op een keukenstoel neerplofte. 'Ga even zitten alsjeblieft'.

'Heb je niet naar de radio geluisterd?'

'Ik had het te druk met Jaapje.'

Adriaan haalde diep adem.

'Op school werd verteld dat er door de noordwesterstorm springtij is geweest en dat er op allerlei plaatsen dijken zijn doorgebroken en dorpen onder water zijn komen te staan.'

'Jongen, wat afschuwelijk. Waar?'

'Naar wat ik gehoord heb in de Hoekse Waard, op

Voorne-Putten en bij Dordrecht.'

'En …?'

'Dat weet ik dus niet, daar zei niemand iets over. Maar als het op zoveel plaatsen is gebeurd, moet het bij Herkingen ook hebben gespookt.'

Marie keek hem angstig aan.

'We moeten meer duidelijkheid krijgen,' zei haar broer. 'Alleen weet ik niet goed hoe. Ik zal eerst de radio eens aanzetten, het is bijna vier uur.'

Hij liep naar het apparaat in de zitkamer en draaide de kleine bakelieten knop om. Er was klassieke muziek te horen. Marie en Adriaan zwegen en wachtten ongeduldig tot het nieuwsbulletin begon.

Er is steeds meer bekend over de grote overstromingen die het zuidwesten van ons land hebben getroffen. Door een combinatie van noordwesterstorm en springtij zijn op vele plaatsen dijken doorgebroken en dorpen onder water gelopen. Grote delen van West-Brabant, de Zuid-Hollandse eilanden en Zeeland staan blank. Naar nu bekend is, zijn er minstens achthonderd slachtoffers te betreuren. Onder meer Stavenisse op Tholen en Oude-Tonge op Overflakkee zijn zwaar getroffen. Intussen wordt met man en macht gewerkt aan het herstellen van de dijken, het evacueren van overlevenden en het leveren van voedsel en hulpgoederen aan de overstroomde gebieden. Vanuit het hele land is de hulpverlening op gang gekomen. Hare Majesteit Koningin Juliana heeft haar medeleven aan de slachtoffers betuigd en

is naar het rampgebied afgereisd. Ook vanuit het buiten-
land is hulp aangeboden.

Toen het nieuws was afgelopen, bleef het even stil. Er spookte van alles door Adriaans hoofd. Wat moesten ze doen? Wie kon hen helpen?

Het leek op dat moment of Marie zijn gedachten kon lezen. 'We kunnen niets doen, lieverd. We zullen moeten afwachten of we iets horen. Verder is het in Gods hand.'

'Ja maar,' sputterde Adriaan een beetje tegen, 'We moeten er toch achter kunnen komen of ze nog leven? En Oude-Tonge is vlakbij Herkingen.'

'Ik zou niet weten hoe we daar achter kunnen komen.'

Adriaan dacht even na. 'De benedenburen hebben telefoon.'

'Ik wil niet dat je daar over de vloer komt. Ga eerst maar je huiswerk maken, als Klaas straks thuiskomt, bespreken we het verder.'

Huiswerk! Alsof dat nu belangrijk was. Mopperend liep Adriaan naar boven. Hij wist dat hij niet kon afwachten, dat hij actie moest ondernemen. Maar hoe?

De benedenburen

Adriaan woonde sinds augustus in de bovenwoning aan de Julianalaan, maar hij wist weinig over zijn benedenburen. Het waren oudere mensen, van wie de kinderen het huis uit waren. Of die misschien zelfs geen kinderen hadden. Hij had ze in ieder geval nooit gezien. Ze waren geen lid van hun kerk, maar rooms-katholiek volgens Marie, en daarom bevonden ze zich in een andere wereld. Ze groetten als ze elkaar zagen in het portaal of buiten, maar daarbij bleef het. Maar Adriaan wist dat ze telefoon hadden, doordat hij het gerinkel wel eens had gehoord.

Hij besloot zijn zuster ditmaal niet te gehoorzamen en sloop de trappen af. Marie was in de slaapkamer de baby aan het verschonen en merkte niet dat hij de deur uitging.

Beneden gekomen aarzelde hij voor de deur. *W. M. Overgaag* stond er op het naambordje bij nummer negentien. Stel dat de buren inderdaad niet deugden? Stel dat hij hierdoor in de problemen raakte?

Maar er waren belangrijker zaken. Hij rechtte zijn schouders en belde aan. Hij hoorde voetstappen naderen en al gauw werd de deur geopend. Daar stond mevrouw Overgaag, een mollige dame met roze wangen en een vriendelijke glimlach rond haar mond.

'Hallo Adriaan, waarmee kan ik je helpen?'

Adriaan voelde de tranen in zijn ogen springen en kon geen woord uitbrengen.

'Kom eerst maar eens binnen. Je ziet eruit alsof je een kopje thee kunt gebruiken.' Ze trok hem mee over de drempel.

'Is alles bij jullie nog onbeschadigd? Wat een noodweer was het zaterdagnacht, hè? Mijn man gaat komende zaterdag de boom in stukken zagen, want zo is het nog steeds een gevaarlijk ding. Dan hebben we er tenminste brandhout van.'

Ze kwebbelde door, terwijl ze voor hem uit naar de keuken drentelde. 'En wat vreselijk, al die overstroomde dorpen, al die verdronken mensen en dieren. Kom, ga eerst maar eens zitten.'

Toen barstte Adriaan in tranen uit. Hij probeerde het tegen te houden, maar zoveel vriendelijkheid was hij niet gewend.

'Och manneke, is het zo vreselijk?' vroeg de buurvrouw, terwijl ze hem zachtjes over zijn rug aaide. 'Hier heb je een zakdoek. En een kopje thee. En dan ga je mij vertellen wat dat grote verdriet veroorzaakt.'

Zo'n aardige buurvrouw kon toch niet slecht zijn. Adriaan snotterde nog even, nam een slokje en besloot alles te vertellen.

'Het gaat over de overstromingen, buurvrouw. Mijn ouders, broers, zus en verdere familie wonen in Herkingen, op Goeree-Overflakkee. We weten niet hoe het met ze gesteld is. Of ze het overleefd hebben of …' Weer ontsnapte hem een snik.

'Wat vreselijk, lieve jongen, ik begrijp dat je ongerust bent. Kunnen jullie niet ergens naartoe bellen?'

'Dat is juist het probleem. We hebben geen telefoon, want mijn zuster vindt dat maar flauwekul. Misschien vindt ze het te duur, dat weet ik niet precies. Daarom wilde ik vragen of u ons kunt helpen.'

'Natuurlijk, ga je gang,' en ze gebaarde naar de vensterbank. Daar stond inderdaad een ivoorkleurige telefoon. Maar Adriaan wist niet hoe het apparaat werkte, waar hij naartoe moest bellen en hoe hij aan telefoonnummers moest komen.

Toen hij dat vertelde, antwoordde de buurvrouw: 'Laat me even nadenken … Ik telefoneer alleen met bekenden, dus ik weet het ook niet precies. Maar mijn man kan ieder moment thuiskomen. Hij weet wel hoe het moet. Blijf maar rustig zitten. Wil je een koekje misschien? Nog een beetje drinken?'

Adriaan knikte beleefd. Bij Marie was er alleen in het weekend wel eens iets lekkers. Hij pakte een krakeling uit de koektrommel en deed een schepje suiker in zijn theekopje.

'Ik ga alvast het avondeten klaarmaken,' zei mevrouw Overgaag. 'Trek je niets van mij aan.'

Ze pakte een bak met aardappelen en ging aan keukentafel zitten schillen. Al gauw kletste ze verder: 'Hoe gaat het trouwens met Jaapje? Het is zeker een tevreden kindje, ik hoor hem bijna nooit huilen.'

Adriaan antwoordde: 'Het is een heel lief mannetje. Hij …'

Op dat moment hoorden ze de sleutel in het voordeurslot en de buurman kwam binnenlopen.

'Dag lieverd,' zei de buurvrouw, terwijl ze hem zoende. Adriaan had dat Marie nog nooit zien doen. 'Je komt als geroepen. Onze Adriaan heeft hulp nodig.'

De buurman keek hem aan en opperde: 'Het heeft zeker met de watersnoodramp te maken. Ze spraken erover op school. Er wordt steeds een hoger aantal slachtoffers genoemd. Jullie hebben vast bekenden in het getroffen gebied. Wat kan ik voor je betekenen?'

Wat was die man snel van begrip. Opgelucht legde Adriaan aan hem uit wat het probleem was. Meneer Overgaag luisterde geduldig en knikte bedachtzaam toen hij klaar was.

'Onder welke gemeente valt Herkingen?'

'Dirksland volgens mij.'

'Dan gaan we proberen of daar iemand ons meer kan vertellen. Of hebben je ouders zelf telefoon? Wie weet is er niets aan de hand.'

'Nee, ze gebruiken dat soort dingen niet.'

'Welk soort dingen?'

'Telefoon, radio, elektrische apparaten.'

'Nee? Wat apart,' zei de buurman terwijl hij zijn pijp stopte. 'Goed, dan bel ik inlichtingen.'

Hij liep naar het telefoontoestel, pakte de hoorn van

de haak en draaide een kort nummer. Zijn vrouw legde haar hand op die van Adriaan en knikte hem bemoedigend toe.

'Met Overgaag in Delft spreekt u, goedenavond. Hebt u voor mij het telefoonnummer van het gemeentehuis in Dirksland?'

'...'

'Niet bereikbaar. Ik begrijp het. Hebt u een ander telefoonnummer waar ik informatie kan krijgen over inwoners van die gemeente?'

'...'

'Het Rode Kruis. Ik zal het noteren, dank u wel, juffrouw.' Hij schreef een nummer op een papiertje en legde de hoorn terug.

'De telefoonverbindingen met de eilanden zijn verbroken. Er zijn natuurlijk overal draden geknapt. Ze hebben me een speciaal nummer gegeven van het Rode Kruis.'

Hij draaide opnieuw en voerde een lang gesprek. Adriaan kon hem niet goed verstaan, want meneer Overgaag stond met zijn rug naar hem toe. Hij barstte bijna uit elkaar van ongeduld.

Na een minuut of tien hoorde hij: 'Dank u hartelijk'. De buurman legde de telefoonhaak weer neer. Hij draaide zich om en keek Adriaan aan.

'Volgens mij heb ik geruststellend nieuws. Nagenoeg heel Herkingen is geëvacueerd. Het lijkt erop dat er maar heel weinig slachtoffers gevallen zijn.'

'Echt waar?' Adriaan werd licht in zijn hoofd. 'Weet u het zeker?'

'Helemaal zeker weten ze het niet, maar het schijnt dat Herkingen een van de weinige dorpen is, waar de inwoners op tijd gewaarschuwd zijn. De mensen zijn met vrachtwagens naar Dirksland gebracht en vandaag met de boot naar Rotterdam.'

'En waar bevinden ze zich nu?'

'Dat wisten ze niet precies, maar de meesten zijn naar de Ahoy-hallen gebracht. Daar worden in ieder geval alle namen van de geëvacueerden genoteerd. Ze zijn er nauwelijks mee begonnen, dus er is nog geen informatie bekend over specifieke personen.'

'Maar ze leven nog?'

'Dat is zeer waarschijnlijk. Als jij het goede nieuws nu eens thuis gaat vertellen, probeer ik na mijn avondeten te achterhalen waar ze gebleven zijn.'

Adriaan voelde opnieuw dikke tranen over zijn wangen biggelen. Hij schaamde zich enigszins, maar de buren leken het niet vreemd te vinden. Adriaan kwam overeind en schudde zijn nieuwe vrienden stevig de hand.

'Enorm bedankt voor alle moeite.'

'Graag gedaan, jongen,' antwoordde mevrouw Overgaag. 'Niet te veel piekeren, hoor, het komt allemaal in orde.'

Hij hoopte dat ze gelijk zou krijgen.

Ruzie

'Wat is je bedoeling, dat ik naar de politie ga?'
'Ik kan toch niet overal op letten?'
'Er is niemand die dat beweert.'
'Ik moet altijd alles alleen regelen!'
Door de voordeur klonken harde stemmen. Adriaan aarzelde voordat hij naar binnen ging.

Marie stond huilend tegen het aanrecht geleund. Klaas stond bij het balkonraam en zag hem daardoor als eerste binnenkomen.

'Daar zal je de booswicht hebben.'

Voordat Adriaan doorhad wat er gebeurde, had hij een flinke draai om zijn oren te pakken. Het deed gemeen pijn en de tranen sprongen in zijn ogen.

'Waar bleef je nou?' brieste zijn zuster. 'Je kunt niet zomaar naar believen weggaan. Wij zeggen het altijd als we ergens naartoe verdwijnen.'

Ze ging op de keukenstoel zitten en bleef hem woedend aankijken. Ze zag eruit alsof ze hem ieder moment kon aanvliegen.

'Rustig, Marie,' suste Klaas, 'laat die jongen vertellen waar hij geweest is, misschien heeft hij iets belangrijks gedaan.'

'Sorry,' begon Adriaan zachtjes, maar voor hij verder kon vertellen, werd hij alweer in de rede gevallen.

'Als je zo doorgaat, ga je van die geleerde school af en stuur ik je terug naar Herkingen. Dan trek ik mijn handen van je af en kun je een betrekking zoeken, net als alle anderen. Als je maar niet gelooft dat je andere rechten hebt.'

'Het is de allereerste keer dat zoiets gebeurt,' vergoelijkte Klaas. 'Laat hem even vertellen. Wat was er zo belangrijk, of geheimzinnig, dat je niet kon doorgeven waar je naartoe ging?'

Adriaan haalde diep adem. 'Ik ben naar de benedenburen geweest om te vragen of zij ons konden helpen erachter te komen wat er met vader en moeder gebeurd is.'

'De benedenburen? Dat had ik toch uitdrukkelijk verboden? Die mensen bezoeken onze kerk niet. Ze kunnen je zomaar op verkeerde ideeën brengen.'

'Maar willen jullie dan niet weten wat ik gehoord heb?'

'Vertel het maar,' antwoordde Klaas rustig, terwijl Marie zachtjes namopperde.

'De buurman heeft enkele telefoontjes gepleegd en achterhaald dat de kans aanzienlijk is dat alles goed gaat met vader en moeder. Vrijwel alle inwoners van Herkingen zijn geëvacueerd Ze waren gelukkig op tijd gewaarschuwd. Ze verblijven ergens in Rotterdam. Buurman vertelde dat ...'

'Dat is voldoende buurman,' viel Marie hem in de rede, maar ze scheen een beetje gekalmeerd.

'Ik weet het goed gemaakt, jij vertrekt vanavond linea recta naar je zolderkamer en verschijnt niet meer beneden. Avondeten kun je vergeten.'

'Maar ...'

'Niets te maren, dan had je je maar aan onze afspraken moeten houden. Met mij moeten overleggen bijvoorbeeld, voordat je naar beneden ging.'

Er zat niets anders op. Als Marie in zo'n stemming was, duldde ze geen tegenspraak. Klaas keek Adriaan aan en haalde zijn schouders op. Adriaan pakte zijn schooltas en liep langzaam de twee trappen op naar zijn zolderkamer.

Hij had honger, maar dat kon hem niet zoveel schelen. Veel begreep hij er echter niet van. Zijn zuster moest zich ook zorgen maken. Waarom was ze niet opgelucht, nu alles in orde leek te zijn? Nou ja, hij had in ieder geval zelf minder om ongerust over te zijn. Hij pakte zijn agenda om te kijken of hij veel huiswerk had. Alleen een beetje aardrijkskunde en Engelse woordjes leren. De heerlijke geur van gebakken eieren kwam naar boven, maar toen hij zijn deur dichtdeed, rook hij er bijna niets meer van. Hij trok een extra dikke coltrui aan en pakte zijn boek.

Net toen hij besloot dat hij zijn Engels wel beheerste, hoorde hij de deurbel. Zachtjes opende hij de deur van zijn kamertje. Er klonken twee mannenstemmen. Het was de buurman, dus het kwam goed uit dat Klaas opengedaan had. Ze bleven even in het gangetje staan praten voor ze de keuken binnengingen. Marie klonk geschrokken, maar toen ging de keukendeur dicht en hoorde Adriaan helemaal niets meer. Op kousenvoeten sloop hij twee trappen af. In het halletje bleef hij staan. Hij hield zijn rechteroor bij het kiertje naast de deurknop van de keukendeur.

'Maar dat is allemaal in Gods hand,' hoorde hij Marie zeggen. 'Als het Zijn bedoeling is dat we ze terugzien, dan zullen we ze terugzien.'

'Als we ze zo snel mogelijk terug willen zien, is dat toch niet verboden?' vroeg Klaas. 'Meneer Overgaag suggereert alleen dat Adriaan en ik morgen meerijden naar Rotterdam om te proberen je ouders te vinden.'

'Adriaan moet morgen naar school,' herinnerde Marie hem. 'Hij kan geen lessen missen! En jij zult hier geen verlof voor krijgen.'

Klaas zuchtte. Aan de andere kant van de keukendeur kon Adriaan horen hoe moedeloos hij was.

'U hoort het, buurman, we zijn het nog niet helemaal eens. Maar we laten het u spoedig weten. In ieder geval hartelijk bedankt voor uw aanbod,' zei Klaas.

'Graag gedaan,' antwoordde meneer Overgaag, terwijl hij zijn stoel naar achteren schoof. 'Laat het maar weten. Neem het de jongen niet al te kwalijk. Hij was oprecht ongerust. Het is een goede knaap.'

Adriaan schoot weg van de keukendeur, de trap weer op. Het was op het nippertje.

Toen de zware voordeur dichtviel, werd kleine Jaap wakker. Adriaan liep naar zijn slaapkamertje en probeerde de baby te troosten. Maar het knulletje ging alleen harder huilen. Adriaan wilde hem uit zijn wiegje tillen toen hij Marie naast zich hoorde:

'Laat mij maar. Terug naar je kamer, ik had jou naar boven gestuurd.'

Het bezoekje van de buurman leek haar humeur niet verbeterd te hebben. Haastig liep hij de zoldertrap op en bestudeerde nogmaals zijn Engelse woordenlijsten. Zijn maag rammelde. Misschien kon hij stiekem naar de keuken sluipen en een stapeltje boterhammen smeren. Later, als de anderen sliepen.

Nadat hij ook zijn aardrijkskunde geleerd had en weer boven aan de zoldertrap wilde luisteren wat er beneden gebeurde, kwam Klaas naar boven lopen met een boterham met gebakken ei, een krentenbol en een beker melk.

'Niets tegen Marie zeggen, maar ik vermoedde dat je wel honger zou hebben.'

'Lekker,' zei Adriaan dankbaar.

'Je moet het Marie maar niet kwalijk nemen,' zei Klaas. 'Ze is zo uitgeput door Jaapje en heeft zoveel aan haar hoofd. Dit is eigenlijk teveel voor haar, zo direct na haar bevalling.'

'Maakt ze zich dan geen zorgen?'

'Natuurlijk, maar Marie heeft altijd geleerd volledig op God te vertrouwen,' antwoordde Klaas. 'Ze is ervan overtuigd dat we er niets aan kunnen veranderen.'

Adriaan dacht hierover na, terwijl hij langzaam op zijn boterham kauwde.

'Ik wil gewoon zeker weten dat het goed gaat met vader en moeder, en natuurlijk met de anderen,' zei hij vervolgens. 'Daarom ben ik naar de benedenburen gegaan.'

'Dat begrijp ik helemaal. Je had alleen meer rekening kunnen houden met Marie.'

'Gaan we morgen naar Rotterdam?' vroeg Adriaan er meteen achteraan.

'Laten we nog een dag afwachten,' antwoordde zijn zwager. 'Misschien laten ze zelf iets horen.'

'Vooruit dan maar,' mompelde Adriaan, terwijl hij zijn beker leegdronk en daarna zijn tanden in de krentenbol zette. Klaas had er roomboter opgedaan. Heerlijk!

'Bedankt, Klaas,' zei hij. 'Het smaakte goed.'

'Ga nou maar lekker slapen,' zei Klaas, 'dan praten we morgen verder. Welterusten.'

Hij pakte bord en beker en ging naar beneden.

Maar Adriaan lag die avond lang wakker.

Naar Rotterdam

Het was het tweede uur. Ze hadden een schriftelijke overhoring gehad van de Engelse woordjes, maar Adriaan had er niet veel van terecht gebracht. Hij kon zich niet concentreren. Er ontbraken nog meer klasgenoten dan gisteren, allemaal met familie in Zeeland of op de Zuid-Hollandse eilanden. Hij vroeg zich af wat hij eigenlijk nog op school uitvoerde.

De schoolbel klonk, Engels was afgelopen. En Adriaan besloot dat het genoeg geweest was. Er waren belangrijker dingen dan leerstof en leraren. Hij wilde weten waar zijn ouders waren. Hij pakte zijn schoolspullen en fietste vliegensvlug naar het station. Hij kocht een retourtje tweedeklas naar Rotterdam en haastte zich naar het tweede perron. Met een beetje geluk kon hij precies de trein halen. Op de perrons en in de stationshal zag Adriaan overal groepjes mensen staan, met overduidelijk in allerijl bij elkaar geraapte kleding en bezittingen. De meesten zagen er afgemat en vooral verward uit.

'Vluchtelingen uit Zeeland,' zei een mevrouw die ook op de trein stond te wachten. 'Wat een armoedig stelletje bij elkaar.'

'Weet u waarom ze hiernaartoe zijn gekomen?' vroeg Adriaan.

'Ze zullen hier wel familie of vrienden hebben.'

50

De trein naar Rotterdam kwam met gepaste snelheid het station binnen rijden. Terwijl Adriaan instapte en een zitplaats uitzocht, bedacht hij dat zijn ouders natuurlijk bij hen moesten logeren. Daar zou Marie toch niet moeilijk over doen?

Maar allereerst moest hij ze vinden. De treinreis naar Rotterdam duurde maar twintig minuten, maar het leek deze keer een eeuwigheid. Toen hij eindelijk op het Centraal Station in Rotterdam uitstapte, was het er een drukte van belang. Honderden mensen liepen door de gangen naar de grote stationshal. Vluchtelingen staarden verdwaasd voor zich uit, gewoon tegen de muur geleund. Adriaan wilde hier in ieder geval zo vlug mogelijk weer vandaan. Wanneer hij meer wilde weten, moest hij naar de Ahoy-hallen, maar hij had geen idee hoe hij daar moest komen. Hij ging naar buiten, naar het Stationsplein, waar het nog drukker was. Mensen liepen kriskras door elkaar en ook autobussen, trams en taxi's kwamen van alle kanten aanrijden.

'Hola jongeman, opletten, straks lig je eronder!'

Hij werd op het nippertje door een imposante heer met een grijze baard voor een tingelende tram weggetrokken.

'Dank u wel, meneer,' hakkelde Adriaan geschrokken.

'Je bent hier zeker niet bekend, want je liep als een kip zonder kop over het Stationsplein,' zei de man vriendelijk.

'Ik moet naar de Ahoy-hallen,' zei Adriaan. 'Kunt u mij vertellen hoe ik daar kan komen?'

'Naar de rampslachtoffers zeker? Zijn er bekenden bij?'

'Mijn ouders,' knikte Adriaan, 'en mijn broers en zuster.'

'Dan zal ik snel helpen.'

De meneer bracht hem naar de juiste tram, hielp hem een kaartje te kopen en wenste hem veel succes.

'Ik hoop dat je hen spoedig vindt!' riep hij.

'Bedankt!' riep Adriaan terug, terwijl de tram zich in beweging zette. Tijdens de tramrit probeerde hij zich voor te stellen, hoe het met zijn ouders zou zijn. De tram leek de hele stad te doorkruisen en reed over diverse bruggen en door een enkele tunnel. Adriaan vond het wel heel lang duren.

'Halte Ahoy,' kondigde de trambestuurder na een halfuur aan. Er moesten meer mensen uit. Ze waren waarschijnlijk, net als Adriaan, op zoek naar familieleden. Hij liep achter de andere mensen aan naar het reusachtige gebouw. Zoiets had hij nog nooit gezien: heel Herkingen zou erin passen! Hij kwam bij een grote toegangsdeur en wilde doorlopen naar binnen, maar werd tegengehouden door een militair.

'Wat kom je hier doen, jongeman? Je kunt niet zomaar naar binnen.' Hij hield zijn rechterbovenarm stevig vast. Adriaan probeerde zich los te rukken.

'Eerst zeggen waarom je hier bent.'

'Mijn ouders zoeken,' antwoordde Adriaan kortaf.

'Waar komen ze vandaan?'

'Van Herkingen, Goeree-Overflakkee.'

'Dan heb je een goede kans dat ze hier terechtgekomen zijn,' zei de soldaat, terwijl hij Adriaan losliet.

'Je moet aansluiten in die lange rij voor de informatiebalie. Daar hebben ze lijsten met vluchtelingen die hier zijn binnengekomen.'

'Staat iedereen daarop?'

'Niet iedereen, ze zijn er nog volop mee bezig. Ga eerst maar informeren, dan mag je daarna wellicht kijken of je ze aantreft.'

Hij duwde Adriaan naar de rechterdeur. Daarachter was de balie, waar dames, gekleed in het grijze Rodekruisuniform, telkens grote vellen papier doornamen. De rij was gigantisch en het kostte Adriaan moeite zijn geduld te bewaren. Voor iedere achternaam moest iedere lijst helemaal worden nagekeken. Er leek geen enkel systeem in de lijsten te zitten. Na ongeveer twintig minuten was voor hem een jonge vrouw aan de beurt.

'Van der Sluys, mevrouw?'

'Ja, met een y.'

'En ze woonden in ...'

'Oude-Tonge.'

Er viel een ongemakkelijke stilte.

'U weet wat er in Oude-Tonge gebeurd is?' vroeg de mevrouw met de lijsten voorzichtig.

'Ongeveer,' beaamde de vrouw. 'Maar er moeten er zijn, die het overleefd hebben. Toch?' Adriaan voelde haar laatste sprankje hoop wegvagen.

'Daar hebt u gelijk in, maar er staat helaas geen Van der Sluys op deze lijsten. Loopt u toch maar even binnen. De mensen die vanochtend gearriveerd zijn, zijn nog niet allemaal geregistreerd.'

'Dank u wel,' zei de jonge vrouw en ze liep met gebogen schouders naar de deuren waar *ingang* boven stond. Adriaan keek haar na. Hij hoopte dat ze haar familie heelhuids terug zou vinden.

Toen was het zijn beurt en vroeg hij aan de Rodekruisdame achter de inlichtingenbalie: 'Wat heeft er plaatsgevonden in Oude-Tonge?'

'Heb je dat niet gehoord?'

'Nou, wel dat de overstromingen daar ernstig waren.'

'Ernstig? Het halve dorp is weggespoeld en er zijn honderden mensen verdronken.'

Ze schrok toen ze zijn gezicht zag betrekken.

'Och jongen, je had er hopelijk geen familie wonen?'

'Alleen wat verre nichten en neven die ik eigenlijk niet ken,' antwoordde Adriaan.

'Dus daar kom je niet voor. Waarvoor wel?'

'Mijn ouders en mijn broers en zuster wonen in Herkingen. Ik heb begrepen dat ze geëvacueerd zijn.'

'Herkingen is leeggehaald, dat klopt. Wat is hun achternaam?'

'De Geus.'

Het lijkt erop dat bijna iedereen die daarvandaan komt zo heet. Heb je er ook voorletters bij?'

Adriaan vertelde ze haar. De dame keek drie keer haar namenlijsten door, maar schudde uiteindelijk haar hoofd.

'Het spijt me, maar hier kan ik ze niet vinden. Dat hoeft niet te betekenen dat ze hier niet slapen. Het is heel goed mogelijk dat ze nog niet geregistreerd zijn. Als je daar die deuren door gaat, kun je zelf kijken. Maar niet schrikken, want het zijn echt vreselijk veel mensen.'

Ze had niet overdreven. Toen Adriaan de zware deuren door was gegaan, wist hij niet wat hij zag. De gigantische ruimte was helemaal gevuld met vluchtelingen. Op het middenterrein stonden duizenden bedden en op de tribunes eromheen krioelde het van de mensen. Hij wist niet waar hij moest beginnen. Eerst maar beneden. Hij liep tussen de veldbedden door. Er waren veel treurige dingen te zien. Mensen in vreemde kleding, zoals pyjama's en bontjassen. Een oude vrouw die apathisch voor zich uit lag te staren. Een huilend jongetje met een grote snottebel, dat hem aanklampte en vroeg waar zijn moeder was.

Adriaan kreeg buikpijn. Wat was er allemaal gebeurd? Hoeveel mensen waren dakloos geworden? Het was veel erger dan hij van tevoren gedacht had. Tot dit moment had hij zich vooral zorgen gemaakt over zijn eigen familie en er verder niet bij nagedacht. Maar het moest echt verschrikkelijk zijn geweest. Hij zocht door. Hij zag alleen ellende, niemand die hij herkende. Op het hele middenterrein was niemand uit Herkingen te vinden.

Hij ging de tribunes op. Nog meer narigheid. Huilende kinderen, vrouwen met koortsige gezichten, grote, sterke mannen met hun hoofd in hun handen. Tientallen rijen achter elkaar. Maar op het moment dat hij de wanhoop nabij was, zag hij eensklaps een bekend gezicht. Mevrouw Struijk, de moeder van zijn vroegere schoolkameraad Marinus. Haar grijze haren, die normaal gesproken in een keurig knotje zaten, hingen langs haar vermoeide gezicht.

'Hé, Adriaan,' riep ze. 'Wat doe jij hier?'

Hij liep naar haar toe en zag om haar heen nog meer bekenden. Marinus, de buurman van zijn broer Cornelis, de vrouw van de kruidenier. Maar zijn ouders zag hij nergens. Wat moest hij nou doen? Moedeloos ging hij op de betonnen trap zitten.

'Ik kan mijn ouders niet vinden,' zei hij, voordat hij in tranen uitbarstte.

'Och, jongen toch,' zei mevrouw Struijk en ze sloeg onhandig haar arm om zijn schouders. 'Ik heb ze eerlijk gezegd niet gezien.'

'Kan iemand vertellen waar de familie De Geus uit de Nieuwstraat gebleven is?' vroeg Marinus aan de andere Herkingers. Meteen begon iedereen door elkaar te praten.

'Één tegelijk alstublieft,' riep Marinus.

'Ik heb je familie op de vrachtboot naar Rotterdam gezien, maar daarna eigenlijk niet meer,' bedacht de kruidenier aarzelend.

'Ze waren er volgens mij bijna allemaal, je moeder, je zusje Corry en je broers met hun vrouwen en kinderen.'

'Mijn vader ontbrak?' Adriaan schrok. Meneer Overgaag had gezegd dat bijna iedereen gered was, dus waarom was zijn vader er niet bij geweest?

'Je vader is achtergebleven om te helpen bij het gaten dichten en het bewaken van de dijken, geloof ik.'

'Ik heb gehoord dat hij ziek geworden is, maar zeker weten doe ik het niet.'

'Waar zijn ze dan gebleven?' vroeg Adriaan. Hij keek opnieuw de ruimte rond, op zoek naar een bekend gezicht. Maar hij zag zijn familie niet.

'Ik heb gehoord dat de vertrekhal van de Holland-Amerikalijn ook opengesteld is, omdat hier teveel vluchtelingen zouden zijn.'

'Dan moet ik daar naartoe,' verzuchtte Adriaan. Toen bedacht hij dat hij niet zomaar kon weglopen. Ook zijn vrienden hadden natuurlijk van alles meegemaakt. Misschien kon hij iets voor hen betekenen.

'Hoe is het jullie vergaan?' vroeg hij.

'We hebben veel geluk gehad,' antwoordde Marinus. 'Wonder boven wonder had de brandweer op tijd in de gaten wat er ging gebeuren en heeft meteen in heel Herkingen alarm geslagen. Daardoor is iedereen weggekomen.'

'Alleen maak ik mij zorgen om de dieren,' verzuchtte Marinus' moeder.

'Tja, er is immers wel water het dorp ingelopen ...'

Adriaan dacht aan Brammetje, de kater van zijn ouders, en voelde zich nog verdrietiger.

'Kan ik iets voor jullie doen?' vroeg hij.

'Dat vind ik heel vriendelijk van je, maar het is niet nodig,' antwoordde mevrouw Struijk. 'Waarschijnlijk komt vanavond mijn zwager uit Zoetermeer ons ophalen. Dus maak je over ons geen zorgen.'

'Gelukkig maar,' zei Adriaan enigszins opgelucht. Nu kon hij op zoek naar zijn eigen ouders. Hij zuchtte, terwijl hij nogmaals om zich heen keek. Zou zijn moeder er ook zo aan toe zijn?

'Ben je hier alleen naartoe gekomen?' vroeg mevrouw Struijk plotseling.

'Ja mevrouw,' zei hij.

'En vond je zuster dat zomaar goed? Of weet ze er niets van?'

Adriaan werd vuurrood en schudde zijn hoofd. Hij keek op de grote klok. Halfvier alweer, hij dwaalde hier al uren rond. Marie zou razend van ongerustheid zijn.

'Ik moet vertrekken,' zei hij. 'Heel veel sterkte allemaal.'

Hij snelde de Ahoy-hallen uit, want hij moest als de wiedeweerga terug naar Delft.

Zus en broer

Toen Adriaan de voordeur opendeed, hoorde hij de basstem van de buurman.

'Wilt u dat ik contact opneem met de politie?'

'Ik weet het niet,' twijfelde Klaas. 'Die jongen maakt het vandaag wel heel bont, maar hij loopt niet in zeven sloten tegelijk.'

Adriaan aarzelde. Er zwaaide natuurlijk wat. Maar hij kwam er niet onderuit. Voorzichtig opende hij de keukendeur.

Marie begon onmiddellijk te schreeuwen: 'Nou heb je het weer gedaan! Jij, jij …'

De tranen biggelden over haar wangen. Adriaan keek beschaamd naar de vloer.

'Ik laat jullie onder elkaar,' opperde meneer Overgaag, terwijl hij opstond. Hij voelde zich duidelijk ongemakkelijk. 'Als u assistentie kunt gebruiken, schroom dan niet het te vragen.'

Hij vertrok. Klaas hield Jaapje op schoot en keek Adriaan verwijtend aan.

'Je zou toch niet zomaar wegblijven? Marco is vanmiddag langs geweest om te vertellen dat je van school was verdwenen. Hij vroeg zich af waar je was gebleven. En wij natuurlijk ook.'

'Ik ben naar Rotterdam gereisd,' mompelde Adriaan

zachtjes. 'En ik heb moeder en de anderen niet gevonden, maar ik weet wel waar ze naartoe gebracht zijn. Gaan we ze morgen ophalen?' Hij kon niets beters bedenken.

'Daar praten we straks wel over,' zei Klaas, met een zijdelingse blik op zijn vrouw. Ze zat nog steeds te huilen. 'We zijn vreselijk ongerust geweest, dus probeer dat eerst maar goed te maken. Dit soort gedrag tolereren we niet.'

Hij kwam overeind en wandelde met Jaapje de keuken uit. Het bleef ijzig stil, Adriaan wist niet wat hij moest doen. Hij hoorde alleen het snuffen van zijn zuster. Zo ging er een kwartier voorbij, zonder dat iemand iets durfde te zeggen.

Toen kwam Marie overeind en keerde Adriaan haar smalle rug toe. Ze vulde de fluitketel en zette hem op het kolenfornuis.

'Het spijt me,' gaf Adriaan uiteindelijk toe. 'Ik wilde je niet ongerust maken.'

Marie antwoordde niet. Met driftige gebaren pakte ze theekopjes uit het keukenkasje en brood uit de trommel.

'Ik kon me niet concentreren op school, ik wilde er achterkomen wat er met vader en moeder gebeurd was. Ik had natuurlijk met jullie moeten overleggen, maar ik vermoedde dat ik geen toestemming zou krijgen.'

Marie antwoordde nog steeds niet.

'Het spijt me verschrikkelijk,' ging Adriaan verder. Hij zag de schouders van zijn zuster schokken, ze huilde

weer. Hij ging naar haar toe en legde voorzichtig een hand op haar onderarm.

'Ik dacht dat ik jullie allemaal verloren had,' barstte Marie los. 'Ik besef dat het allemaal in Gods hand ligt en dat er gebeurt wat er moet gebeuren, maar ik was bang dat niet alleen onze ouders, Corry en de anderen omgekomen waren, maar dat jij ook verdwenen zou zijn. Dan had ik alleen Klaas en Jaapje nog.'

Adriaan wist niet wat hij moest zeggen. Zo had hij haar nog niet eerder meegemaakt. Hij had zich niet gerealiseerd dat hij zo belangrijk voor haar was. Marie pakte een geruite zakdoek uit haar schortzak en snoot luidruchtig haar neus.

'Het spijt mij werkelijk enorm,' verzuchtte ze. 'We hadden samen moeten bedenken wat er moest gebeuren. Ik had het niet op zijn beloop moeten laten. Jij was natuurlijk net zo ongerust als ik.'

Het water kookte. Marie pakte de theepot en zette thee voor het avondeten.

'Dus we gaan morgen naar Rotterdam?'

Marie zuchtte. 'Dat beslissen we morgen. Misschien komen ze uit zichzelf hierheen.'

Adriaan kon niet begrijpen dat ze zo afwachtend reageerde, vooral na wat ze zo-even had beweerd. Maar het was zinloos erover te discussiëren. Zonder verder een woord te wisselen hielp Adriaan Marie met tafeldekken. Klaas kwam de keuken weer binnen.

'Gelukkig, Jaapje is in dromenland,' fluisterde hij.

'Dan kunnen we tijdens de maaltijd rustig overleggen wat er verder moet gebeuren.'

Ze gingen gedrieën aan de keukentafel zitten en Klaas sprak een gebed uit. Niet alleen het standaardtafelgebed, maar hij dankte de Heer dat hij iedereen heelhuids op het droge had gebracht en Adriaan weer veilig thuis. Nadat ze hun eerste boterham gesmeerd hadden, vroeg hij: 'Nu willen we graag horen wat je beleefd hebt.'

Adriaan vertelde over zijn speurtocht. Over de aardige mensen die hem geholpen hadden, de oudere heer op het Stationsplein, de soldaat, de behulpzame Rodekruisdame. Over de gigantische hal, gevuld met vluchtelingen. Over de vrienden uit Herkingen, die hij wel gevonden had.

'Marinus en zijn moeder waren er, en Vandervelde, die tegenover Cornelis woont. Ze zeiden dat moeder en de anderen waarschijnlijk in de vertrekhal van de Holland-Amerikalijn bivakkeren.'

'De Holland-Amerikalijn?'

'Ja, van de cruiseschepen naar de Verenigde Staten.

'En vader?'

'Waar hij gebleven is, konden ze niet zeggen, maar wel dat hij het had overleefd.'

'Dan zullen we hem ook wel terugkrijgen,' verzuchtte Marie enigszins opgelucht.

Na het eten stuurde ze Adriaan naar zolder. 'Je hebt vast nog huiswerk. Hier is een briefje van Marco. Hij zei iets over een geschiedenisopdracht.' Hij pakte het papiertje aan en ging naar zijn slaapkamer. Hij moest een heleboel vragen beantwoorden voor geschiedenis, over Karel de Grote en zijn Karolingische rijk, maar hij had moeite te beginnen. Karel kon hem eigenlijk gestolen worden, deze keizer van eeuwen geleden. Wat hadden ze daaraan in deze tijd van rampspoed? Hij zag steeds beelden voor zich: het huilende jongetje, de zieke, oude vrouw, Marinus in een bontjas die minstens drie maten te groot was. Juist toen hij zijn geschiedenisboek en schrift had gepakt, hoorde hij Klaas de voordeur openen, de trap aflopen en bij de benedenburen aanbellen. Hij bleef een hele tijd weg. Adriaan las vier keer dezelfde vraag, maar de inhoud van de lesstof wilde niet tot hem doordringen.

Toen hoorde hij Klaas weer naar buiten komen en 'tot morgen' tegen buurman Overgaag zeggen. Hij sloeg zijn geschiedenisboek dicht en rende naar beneden.

'Dat vermoedde ik al,' lachte Klaas. 'Kom maar mee naar de keuken, dat huiswerk moet maar even wachten.'

'Wat heb je met meneer Overgaag besproken?' vroeg Adriaan.

'Ik heb gevraagd of hij kon uitzoeken of jullie moeder inderdaad bij de Holland-Amerikalijn zit. Hij heeft er direct naartoe gebeld en er stonden tientallen De Geuzen op de namenlijst. Waarschijnlijk slapen ze daar.'

'En nu?' vroeg Adriaan gretig.

'Niet nu,' antwoordde Klaas, 'maar morgenochtend. Voor één keer gaan we met buurmans auto ergens naartoe.'

'Dat kan toch zomaar niet,' piepte Marie.

'Ja hoor, dat kan prima. Ik krijg vanzelfsprekend verlof om mijn schoonfamilie te zoeken en het lyceum zal ook geen moeilijkheden maken. Buurman Overgaag wil ons graag brengen.'

'Zie je nu wel dat hij fatsoenlijk en aardig is?' zei Adriaan.

'Ja, aardig misschien,' pruttelde Marie, 'maar blijft natuurlijk een katholiek.'

'Misschien wel,' zei Klaas. 'Maar dit is niet het tijdstip om mensen daarom te veroordelen. We moeten elkaar helpen en het is fantastisch dat hij dit voor ons over heeft.'

'Weet je zeker dat het verantwoord is?' vroeg Marie aarzelend. 'Zo'n personenauto is toch een kwetsbaar ding. Is meneer Overgaag eigenlijk een goede chauffeur?'

'Wat is zeker?' vroeg haar echtgenoot. 'Wat ik zeker weet is dat jij ontzettend opgelucht zult zijn als je morgen je moeder terugziet.'

En die opmerking zorgde voor nieuwe tranen bij Marie.

De Holland-Amerikalijn

Adriaan had helemaal niet lekker geslapen. Hij was veel te opgewonden geweest. Iedere keer was hij wakker geschrokken uit verwarde dromen over mensenmassa's en heel veel water. En na vijven was slapen helemaal niet meer gelukt. Hij had zijn nachtlampje aangedaan om wat te lezen, maar zijn Biggles-boek leek helemaal niet spannend meer. Tegen zevenen was hij zachtjes opgestaan. Hij had de kolenkachel aangemaakt en het ontbijt stond op de keukentafel voordat Jaapje zich meldde.

'Hij heeft de hele nacht doorgeslapen,' zei Marie trots. 'Net alsof hij besefte dat wij vandaag graag uitgerust wilden zijn.'

'Prettig,' mompelde Adriaan verstrooid. Marie bekeek haar broertje eens beter.

'Heb jij eigenlijk wel geslapen?'

'Een beetje,' gaf hij toe. 'Ik had heel akelige dromen.'

'Dat verbaast me niets,' zei zijn zus. 'Laten we ontbijten, dan kunnen jullie zo snel mogelijk vertrekken.'

Hij nam juist zijn laatste slokje thee toen de deurbel klonk. Het was buurman Overgaag.

'Zijn jullie gereed om te vertrekken?'

'Bijna,' zei Klaas, die zijn veters zat te strikken. 'Kunnen we eerst bij mijn collega Pieters langsrijden, zodat hij kan doorgeven dat ik vandaag niet kom? En langs de school van Adriaan?'

'Die zal ik wel bellen,' antwoordde meneer Overgaag. 'Je zit toch op het Christelijk Lyceum?'

Adriaan knikte. 'In 1b.'

'Ga ik dat even regelen. Als jullie zorgen dat jullie beneden klaarstaan, kunnen we zo vlug mogelijk vertrekken.'

'Bent u wel voorzichtig?' vroeg Marie.

'Lieve kind, ik rij al vele jaren auto en er is nog nooit iets gebeurd. Ze komen heelhuids thuis, dat beloof ik.'

'Vooruit dan,' zei ze. 'Dan zal ik daarop vertrouwen.'

'Tot zo meteen,' zei de buurman en liep naar beneden.

'Moeten we ze meebrengen, als we ze vinden?' vroeg Klaas.

'Niet allemaal, daar is onze woning te klein voor. Maar daar hebben we gisteren toch uitgebreid over gepraat? Alleen moeder en Corry.'

'We zullen zien wat er mogelijk is,' zei Klaas. 'Het zal allemaal wel goed komen. Tot straks lieverd,' en hij gaf haar een dikke pakkerd.

Zomaar, terwijl Adriaan toekeek.

De auto stond geparkeerd voor het huis van Nicolaas Pieters. Klaas was naar binnen en had Adriaan alleen achtergelaten met meneer Overgaag. Hij voelde kriebels in zijn buik. Niet alleen omdat hij waarschijnlijk zijn moeder zou terugzien, maar hij had ook nog nooit in een auto gezeten. Wat was dat heerlijk! De wagen zoefde overal langs. Als passagier zat je heerlijk zacht en je had totaal geen hinder van wind of regen. Hij gluurde naar de buurman, die een ingewikkeld melodietje zat te neuriën.

'Moet u eigenlijk niet werken?' vroeg Adriaan.

'Ik geef op woensdag maar drie uur,' antwoordde Overgaag. 'Die uren kon mijn collega overnemen.'

'Waar geeft u les in?'

'Ik ben muziekleraar, had ik dat niet verteld?'

'Nee meneer.' Adriaan was verrast. 'Op een middelbare school?'

'Ja, op het Stanislascollege.'

'De katholieke HBS.'

'Dat klopt,' zei de buurman. 'Dat vind je toch geen probleem?'

'Nee, maar mijn zuster waarschijnlijk wel.'

'Ze is nogal strenggelovig, hè?'

Adriaan had ineens het gevoel dat hij haar moest verdedigen.

'Zo zijn we opgevoed,' antwoordde hij. 'Wij zijn heel fatsoenlijke mensen.'

'Natuurlijk jongeman, dat bestrijd ik helemaal niet. Het is alleen niet waar dat personen die geen geloofsgenoten van jullie zijn niet deugen.'

'Volgens onze dominee zijn die verdoemd.'

'Maar jullie bereiken zelf toch ook niet allemaal de hemel?'

'Daar gaat het niet om,' sputterde Adriaan. 'Het gaat erom hoe je je nu gedraagt en dat je Godsvertrouwen hebt en …'

Hij kwam niet helemaal uit zijn woorden. Hij besefte dat hij eigenlijk niet precies wist hoe hij erover dacht. Dat was hem nooit eerder gevraagd.

'Het was niet mijn bedoeling je kwaad maken,' zei meneer Overgaag. 'Ik probeer het alleen te begrijpen.'

'Wij begrijpen niet, wij geloven.'

'Juist.'

Toen zwegen ze allebei.

'Jullie hebben toch geen ruzie gemaakt, mannen?' Daar was Klaas. Hij stapte in en zei:

'Zo, dat is geregeld, laten we vertrekken.'

Meneer Overgaag startte de auto en ze reden naar Rotterdam.

Het was geen lange reis, binnen dertig minuten waren ze bij de haven gearriveerd. Weer stond daar zo'n immens gebouw.

'Gaan jullie alvast naar binnen,' zei de buurman. 'Dan zoek ik een parkeerplek.'

Adriaan voelde zich opgelucht dat hij ditmaal niet alleen was gegaan. Ze liepen de voordeur door en kwamen in een ruimte met een informatiebalie, precies als in de

Ahoy-hallen. Klaas liep er resoluut naartoe.

'Goedemorgen dames, mag ik u iets vragen?'

'Goedemorgen meneer, daar zitten we hier voor.'

'De familie De Geus uit Herkingen zou hier zijn terechtgekomen.'

'We hebben talloze De Geuzen. Kunt u ons adressen geven?'

'Nieuwstraat 3, en … Adriaan wat zijn de adressen van je broers?'

Adriaan vertelde het. En de dame vond ze op de personenlijsten.

'Jullie zullen ze aantreffen in zaal twee. Dat is daar, achter die donkerblauwe deur, de gang door en de derde deur rechts. Daar kunt u nogmaals informeren.'

Adriaan werd duizelig. Ze hadden hen gevonden. Ze hoefden niet verder te zoeken. Hij wilde Klaas meetrekken, maar die was nog niet helemaal klaar.

'Hartelijk dank,' zei hij, 'Als straks onze buurman binnenkomt, een vriendelijke meneer met een woeste haardos, wilt u dan zo vriendelijk zijn hem ons achterna te sturen?'

'Prima meneer, gaat u maar gauw, want de jongeman kan niet meer wachten.'

Daar gingen ze eindelijk, de gang door en het derde zaaltje in. Er zat iemand bij de ingang, die er officieel uitzag, en Klaas wilde verder informeren, maar Adriaan holde naar binnen en speurde om zich heen.

'Daarginds, kijk, daar zitten Cornelis en Rika, en

daar, daar heb je moeder!' Hij rende verder de zaal binnen, met moeite mensen en bedden ontwijkend.

'Moeder!' schreeuwde hij en ze draaide zich om.

Adriaan stortte zich in haar zachte armen.

'Maar manneke, waar kom jij vandaan? Och, daar heb je Klaas ook.'

Zijn moeder zag er helemaal beduusd uit, maar toen glimlachte ze.

'Wat heerlijk dat jullie ons gevonden hebben.'

De anderen kwamen erbij. Corry, in haar nachtjapon, Cornelis en Elizabeth, Bertus en Rika met haar baby'tje in haar armen, en de andere kleintjes. Er werd op schouders geklopt, geknuffeld en gezoend en Adriaan kreeg een onbestemd gevoel in zijn buik. De tranen prikten achter zijn ogen.

Zijn moeder ging op het veldbed zitten en vroeg of hij naast haar wilde komen zitten. Ze zag er uitgeput uit. Grote wallen onder haar ogen, een voddige jurk aan en haar kapsel totaal niet gefatsoeneerd. Zijn moeder, die er altijd tot in de puntjes verzorgd uitzag.

'Vertel eens hoe je ons gevonden hebt.'

Adriaan vertelde. Hoe ongerust hij was geweest, waar hij allemaal gezocht had en hoe behulpzaam de buurman was geweest. De buurman! Helemaal vergeten. Hij keek rond en zag meneer Overgaag bij de zaaldeur staan. Hij bleef bescheiden op een afstandje, maar Adriaan riep hem.

'Komt u alstublieft hier, meneer. Ik vermoed dat mijn

moeder u graag wil leren kennen.'

'Ik dacht, ik laat jullie onder elkaar,' verklaarde de buurman.

Maar mevrouw De Geus stak hem resoluut haar hand toe. 'Ontzettend bedankt meneer, voor al uw hulp.

Adriaan mag zich heel gelukkig prijzen met zo'n vriendelijke buurman.'

'Het was een kleine moeite, mevrouw.'

'Waar is vader eigenlijk?' informeerde Klaas.

Moeder slikte even. 'Hij is helaas niet meegekomen. Hij is niet geëvacueerd. Hij wilde per se meehelpen met het bewaken van de dijken en het redden van dieren. Toen is hij uitgeput en onderkoeld geraakt en nu ligt hij met een longontsteking in het Dijkzigt ziekenhuis. Ze kwamen dat net vertellen. Het komt allemaal weer goed met hem, maar voorlopig moet hij daar blijven. We zijn God dankbaar dat we allemaal gespaard zijn gebleven.'

Adriaan gluurde stiekem even naar de buurman. Meneer Overgaag knipoogde terug.

'Wat gaat er nu gebeuren?' vroeg Adriaan. 'Marie heeft gezegd dat, als we jullie zouden aantreffen, moeder en Corry welkom zijn, maar dat er geen ruimte is voor allemaal.'

'Mooie bedoening,' zei Bertus verontwaardigd. 'Mogen wij hier achterblijven, lekker gastvrij!'

Maar toen hij Adriaans verbouwereerde gezicht zag, lachte hij. 'Grapje, jongen. Wij kunnen naar een achterneef van Rika in Nootdorp. Die heeft een heel grote boerderij. En Cornelis kan bij een oude dienstmakker terecht, in Schoonhoven. We wilden net proberen jullie te bereiken, maar je was ons voor.'

'Ik ga mijn vrouw bellen, dan kan zij aan Marie doorgeven dat jullie er aankomen,' stelde meneer Overgaag voor. 'Ik neem tenminste aan dat jullie meteen meegaan.'

Hij keek de twee vrouwen aan.

'Ik denk dat het wel zal lukken, dan is er weer plaats voor anderen,' zei Corry. 'Ik ga het regelen.'

Ze liep naar de hulpverlener bij de zaaldeur, die haar meenam naar een kantoortje. Ook de buurman vertrok naar buiten.

'Hoe is het jullie eigenlijk vergaan?' vroeg Klaas. 'Hebben jullie het zwaar gehad?'

'Dat gaat wel,' zei moeder. 'Ik vermoed dat we veel geluk hebben gehad. Maar laat ik bij het begin beginnen.'

Het verhaal van moeder

'Het waaide zaterdagochtend, wat zeg ik, het stórm-de. Je weet hoe het tekeer kan gaan op het eiland. Het was maar goed dat jij in december het dak nog ge-controleerd hebt, anders waren er veel dakpannen naar beneden gekomen. Enfin, ik was opgelucht dat ik alle boodschappen al in huis had gehaald en niet meer naar buiten hoefde. Je vader helaas wel, die heeft natuurlijk nog stookolie rondgebracht. Corry wilde eigenlijk naar Johan, in Dirksland, maar dat was onmogelijk op de fiets. We hebben het vlees voor zondag gebraden en op-geruimd. Tijdens het avondeten ging de storm zo tekeer dat we moeite hadden elkaar te verstaan. We hebben een spelletje Mens-erger-je-niet gedaan en zijn daarna vroeg onder de dekens gekropen.

Ik had het gevoel dat ik nog maar net in slaap gevallen was, toen ik brandweersirenes hoorde. Ook vader werd er wakker van. Toen we naar buiten keken, zagen we dat verderop in de Nieuwstraat een huis in brand stond.'

'Welk huis?' vroeg Adriaan geschrokken.

'Volgens mij nummer 25, bij de familie Modderman, maar ik weet het niet helemaal zeker. Misschien was de bliksem er ingeslagen, want het was natuurlijk vreselijk noodweer. De brand leek snel onder controle, maar de brandweer bleef in de straat en belde overal aan, ook bij ons. Je vader opende de voordeur.

"Opstaan, aankleden en allemaal naar het dorpsplein," zei een opgewonden brandweerman. "En alleen
het hoogstnoodzakelijke meenemen."

"Waarom?" vroeg vader.

"Het water staat vreselijk hoog. Het lijkt springvloed
en dat gaan de dijken niet houden. Iedereen moet geëvacueerd worden."

Hij holde alweer verder, naar het volgende huis. Wij
kleedden ons snel aan, pakten een paar spullen, zoals
geld en wat voedsel en liepen alle drie naar het plein.'

'En Brammetje?'

Moeder zweeg even. Ze wist niet wat ze moest ant-
woorden. Corry, die inmiddels was teruggekomen, nam
het over. 'Die zijn we zomaar vergeten. Vreselijk hè? Ik
heb geen idee of hij het overleefd heeft.'

'En de kippen ook,' verzuchtte moeder. 'Gelukkig zaten die niet opgesloten, dus misschien hebben ze kunnen ontsnappen. Brammetje is hopelijk op een droog
plekje gaan zitten.

Goed, waar was ik gebleven? Op het dorpsplein was
het een drukte van belang. Het hele dorp was uitgelo-
pen. Gelukkig kwamen je broers en hun gezinnen ook
spoedig. Er kwam een stoet vrachtwagens aan en zelfs
een autobus. Wij, de ouderen, moesten in die bus stappen, maar je vader weigerde. Hij zag dat er een groot
aantal mannen achterbleef om te redden wat er te redden viel en hij vond dat hij niet zomaar kon vertrekken.

En, Adriaan, je weet het, als je vader eenmaal iets in zijn hoofd heeft …

Dus ik vertrok met de autobus en liet hem achter in Herkingen. Corry en de anderen stapten in de laadbak van een vrachtwagen, zo één die normaal de aardappelen vervoert. Het was verschikkelijk koud. We reden over de smalle dijkjes naar Dirksland. Het was pikkedonker, nergens brandde licht. Ik denk dat de stroom uitgevallen was. De wagens reden stapvoets. Later werd verteld dat sommige binnendijkjes waar wij overheen reden maar enkele centimeters boven het water uitstaken. Na een eeuwigheid arriveerden de wagens in Dirksland. Dat ligt hoger, dus daar was het droog. We moesten allemaal uitstappen, zodat de wagens terugkonden om anderen te evacueren.

Het was middernacht, het plensde en de noordwesterstorm blies iedereen van het marktplein. Toch waren er allemaal mensen op de been om ons te helpen. We werden naar een schoolgebouw gedirigeerd. Daar was het warm en behaaglijk. Ze hadden provisorische bedden klaargezet en er was zelfs erwtensoep. Mensen brachten winterjassen en truien. Dat was geweldig, want wij hadden alleen ons nachtgoed aan en verder niets meegenomen. We waren allemaal weer bij elkaar, behalve je vader natuurlijk.'

'Wanneer zag u hem terug? Maakte u zich niet vreselijk zorgen? Hoe bent u hier terechtgekomen?' Adriaan zat vol met vragen.

Zijn moeder moest lachen. 'Rustig manneke, alles op zijn tijd. Je wilde toch het hele verhaal horen? Je vader heb ik weliswaar nog niet teruggezien, maar wij hebben er alle vertrouwen in dat het allemaal goed zal komen.

Die nacht heb ik niet geslapen. Niemand kon trouwens slapen. Het was heel lawaaiig en we maakten ons natuurlijk veel zorgen. Door de rukwinden kraakten de ramen zo, dat we ons zelfs afvroegen of het schoolgebouw het niet zou begeven. Toen het licht begon te worden, werd ook in Dirksland duidelijk hoe de storm had huisgehouden. Op het schoolplein lagen takken, wat zeg ik, hele bomen, en dakpannen. In de Hoofdstraat stonden tientallen koeien en paarden, die ternauwernood gered waren.

Het was onrustig en benauwd en er waren natuurlijk niet voldoende dekens en warme kleren. Het waaide nog steeds vreselijk hard en we konden niet veel ondernemen. We moesten wachten op de dingen die kwamen. We hebben veel gebeden.'

Ze hoestte en zweeg een ogenblik. Ze zag er vermoeid en aangedaan uit.

'Zal ik kijken of ik een kopje koffie voor u kan regelen?' opperde de buurman. 'Van dat vertellen zult u wel dorst gekregen hebben.'

'Graag, dank u wel,' zei moeder.

Meneer Overgaag liep door de zaaldeur, op zoek naar iemand die hem kon helpen.

Moeder zei tegen Klaas: 'Waarom heb ik nooit eerder over deze aardige meneer gehoord? Dat is nog eens een buurman om in ere te houden. Ik begreep altijd van Marie dat mensen in de grote stad elkaar niet hielpen.'

Klaas keek bedremmeld naar de vloer. 'Hij is katholiek,' mompelde hij.

'Och natuurlijk,' zei moeder. 'Marie is vanzelfsprekend nog vreselijk streng in de leer. Erger dan wij op Goeree-Overflakkee. Ze zal er nu hopelijk anders over gaan denken.'

'Die dag,' ging moeder verder, 'dat was zondag, kwamen steeds meer vluchtelingen het schoolgebouw binnen. Met steeds meer gruwelijke verhalen. Herkingen mocht dan gespaard zijn gebleven, dat gold niet voor de rest van het eiland. Vooral over Oude-Tonge gingen vreselijke verhalen.

Ik bleef het grootste deel van die zondag op mijn matras. De anderen ook, er was niet veel anders mogelijk. Als je naar het toilet moest, moest je daar veel tijd voor uittrekken, want er waren er slechts weinig. Cornelis is gaan rondlopen en heeft gevraagd wat er verder ging gebeuren, maar er was eigenlijk niemand die informatie kon geven. Pas 's avonds kregen we te horen dat er vanaf de volgende ochtend in de haven van Middelharnis schepen zouden liggen, die ons verder zouden brengen. Martien van Bovenkerk uit de Elizabethstraat kwam vertellen dat vader nog een nacht in Herkingen zou doorbrengen om de dijk te bewaken, maar dat we ons geen zorgen hoefden te maken. Dus hebben we nog een nacht in Dirksland overnacht. Gelukkig was de storm enigszins geluwd.

Ach, dank u wel.' Ze pakte een kopje koffie aan van meneer Overgaag, die met een dienblad vol koffie en thee was teruggekomen.

'Heel vroeg de volgende ochtend, dat moet dan maandag zijn geweest, vertrokken we weer in auto's naar de schepen. Gewone vrachtschepen waren het, waar heel veel mensen in konden. Allemaal over de loopplank het ruim in en het duurde niet lang voor we het Haringvliet overvoeren. Dat was heel akelig, met honderden mensen in een donker laadruim, terwijl de zee nog steeds flink tekeer ging. Veel kinderen moesten huilen of overgeven.'

'Ik niet,' zei kleine Marijke trots.

'Nee, jij niet,' beaamde haar grootmoeder met een glimlach. 'Jij bent oma's stoere meidje.'

'Gelukkig duurde de overtocht niet zo heel lang. We voeren rechtstreeks naar de Rotterdamse haven. Daar moesten we weer in vrachtauto's stappen en werden we naar Ahoy gereden. We stapten uit en gingen naar binnen, maar het was er stampvol. Toen was ik wel de wanhoop nabij. We waren zo vermoeid, smerig en misselijk van al het gehobbel in de vrachtwagen. Er stonden veldbedden, maar er waren vijf keer zoveel vluchtelingen. Dus na een halve dag zijn we alsnog hiernaartoe gebracht en sindsdien is het rustiger. Gisteren zijn we allemaal onderzocht door een dokter en nu zijn jullie hier. Dat waren onze belevenissen.'

Adriaan was onder de indruk, wat een verhaal! Waarschijnlijk was het nog erger geweest, hadden ze afgrijselijke dingen gezien, maar zijn moeder wilde niet meer vertellen.

'Heb je eigenlijk gehoord hoe het met Johan gegaan is?' vroeg hij Corry.

'Die is even langsgekomen toen we in het schoolgebouw overnachtten,' antwoordde ze. 'Ik had eigenlijk wel bij zijn ouders willen blijven logeren, maar dat mocht niet van moeder. Johan heeft zich bij een groep mannen aangesloten die met allerlei bootjes de volgelopen polders ingegaan zijn om te zoeken naar overlevenden. Ze hebben ten minste twintig mensen gered.'

'Ja,' grinnikte Bertus, die weer helemaal de oude leek, 'die Corry gaat met een echte held trouwen.'

'Pestkop,' mopperde zijn zus, terwijl ze een kleur kreeg. 'Hij doet dat toch maar, terwijl jij gewoon naar Rotterdam vertrokken bent.'

'Niet kibbelen, kinderen,' zei moeder. 'Het lijkt wel alsof jullie kleuters zijn in plaats van volwassenen. Maar Corry heeft natuurlijk wel enigszins gelijk. Het is niet erg fatsoenlijk om af te geven op iemand die zich zo inzet.'

'Ik ben bij mijn vrouw en kinderen gebleven,' sputterde Bertus.

'Dat is ook belangrijk,' suste Klaas. 'Wat dacht u ervan buurman, zullen we vertrekken?'

'Dat is prima. Ik heb trouwens even navraag gedaan,' antwoordde de buurman. 'We moeten bij de informatiebalie doorgeven waar we naartoe gaan en onze handtekening zetten, dat is alles. Dus als u zover bent?'

'Kom op, Adriaan,' zei Corry, 'geef je moeder een arm, dan gaan we ervandoor.'

Moeder keek om zich heen. Ze zuchtte nog eens diep. Toen kwam ze overeind, groette haar zonen en schoondochters, knuffelde haar kleinkinderen en liep mee naar de uitgang.

Logees

Het was een paar dagen later, en de drukte in huis begon te wennen. Moeder en Corry sliepen op het zolderkamertje van Adriaan, waar een extra matras was gelegd. Hijzelf sliep op een opklapbed in de babykamer. Dat was niet echt comfortabel, want Jaapje werd natuurlijk niet rustiger met al die drukte om hem heen. Iedere nacht liet hij zich meerdere keren horen. Maar Adriaan had het er graag voor over. Hij was allang opgelucht dat iedereen die hij kende veilig was.

Donderdag was hij terug naar school gegaan. Niemand deed moeilijk over zijn afwezigheid. De sfeer in zijn klas was nog nooit zo serieus en eensgezind geweest. Hij begreep inmiddels wat een geluk de inwoners van Herkingen hadden gehad. Het was bijna nergens zo goed afgelopen. Berend en Bastiaan, tweelingbroers uit zijn klas, van wie de meeste familie op Schouwen-Duiveland woonde, hadden geen grootouders meer, en weinig ooms en tantes. Ook Frederik was nog niet op school teruggekeerd. Adriaan wist niet waar hij was.

Zijn zwager Klaas had iets zeer uitzonderlijks gedaan, en de afgelopen dagen steeds kranten gekocht om op de hoogte te blijven van het nieuws over de watersnoodramp. Ook luisterden ze veel meer naar de radio dan normaal. Zaterdagochtend werd er al gesproken over ruim twaalfduizend slachtoffers.

'Daar kun je je toch geen voorstelling van maken,' zei moeder. 'Wat hebben wij het dan ontzettend goed.'

Adriaan knikte. Hij had in de krant foto's gezien van enorme watermassa's, waar hier en daar alleen een boomtop of een torenspits bovenuit stak. Hele dorpen waren door het water uit het zicht verdwenen. Vandaag stond er een foto van Stellendam op de voorpagina van de Haagse Courant. Dat was niet meer dan twintig kilometer bij Herkingen vandaan, maar het zag er verschrikkelijk uit. Allemaal ingestorte huizen en veel dode koeien in het donkere water.

'Kijk eens.' Klaas toonde een foto, die verderop in de krant stond. Hij was enigszins wazig, maar zo te zien stonden er vier mensen op, waaronder een heel oude grootmoeder. Of misschien leek ze zo oud, door alle ellende die ze meegemaakt had. De mensen waren gehuld in mottige dekens en zaten in een gammele roeiboot. Het onderschrift luidde: *De familie Sneijders – vader, moeder, grootmoeder en dochter – werd gisteren aangetroffen in een wilgenboom langs de dijk bij Ooltgensplaat. Zij zaten er al sinds zondagmiddag. Twee andere kinderen zijn helaas omgekomen.*

'Arme drommels,' verzuchtte moeder.

Ze zaten met z'n drieën aan de ontbijttafel. Marie deed de baby in bad en Corry sliep waarschijnlijk nog. Moeder had gezegd dat ze haar veel rust moesten gun-

nen. 's Nachts in haar slaap had ze geschreeuwd omdat ze afschuwelijke machtmerries had.

'Het wordt tijd dat haar verloofde iets van zich laat horen,' zei Klaas. 'Het arme kind maakt zich veel te veel zorgen.'

Het laatste dat ze van Johan gehoord hadden, was dat hij naar Den Bommel was gegaan, waar de dijken het helemaal begeven hadden. Alle beschikbare jongemannen waren daar aan het werk gezet. Johan, die net teruggekeerd was bij zijn ouders, was meteen weer vertrokken. Corry zei niet veel, maar iedereen kon zo zien dat ze verschrikkelijk ongerust was.

Adriaan stopte zijn laatste stukje brood in zijn mond en wilde opstaan.

'Even wachten, jongeman,' zei zijn moeder. 'Eerst je mond leegeten en vragen of je van tafel mag.'

Er waren ook nadelen aan de logeerpartij verbonden. Hij liet zich weer op zijn stoel zakken en zuchtte.

'Mag ik opstaan van tafel?' vroeg hij. 'Ik moet naar school.'

'Vooruit maar. Vergeet niet je spullen goed achterop te binden. En zorg ervoor dat je heelhuids terugkeert.'

Ze bedoelde het natuurlijk goed, maar het was weer wennen. Hij zoende haar op haar linkerwang en liep de trap af.

Net toen hij zijn fiets naar beneden tilde, kwam buurvrouw Overgaag naar buiten.

'Goedemorgen, Adriaan,' zei ze opgewekt. 'Ik heb

verheugend nieuws voor jullie. Er is vanochtend vroeg gebeld …'

'Over mijn vader?'

'Nee, dat helaas niet,' antwoordde ze, maar toen ze zijn gezicht zag betrekken, voegde ze eraan toe: 'Maar ik ben ervan overtuigd dat jullie hem snel zullen weerzien. Nee, het was voor je jongste zuster, Corry heet ze, niet?'

Adriaan knikte.

'Haar verloofde heeft gebeld om te vertellen hoe het hem verder vergaan is. Hij is voorlopig opgehouden met helpen en is weer bij zijn ouders teruggekeerd. Er zijn nu zoveel soldaten in het ondergelopen gebied dat de andere hulpverleners voorlopig naar huis mogen, om enigszins te herstellen. En …'

'Sorry, dat ik u weer in de reden val, mevrouw Overgaag, ik vind het vanzelfsprekend prachtig nieuws, maar als ik niet opschiet, kom ik te laat. Misschien kunt u het zelf boven gaan vertellen.'

'Natuurlijk jongen, ga maar snel, je hebt al zoveel moeten verzuimen. Straks krijg je er nog problemen door. Wees voorzichtig onderweg.'

Ze schommelde de trap op. Alweer voorzichtig. Wat hadden die oudere dames toch? Hij pakte zijn fiets en vertrok naar school. Door al dat gepraat was het laat geworden en moest hij zich haasten.

Er waaide alweer een stevige wind, niet de storm van vorige zaterdag – was dat pas zeven dagen geleden? – , maar de bomen zwiepten flink heen en weer. Toen hij de hoek bij de Delftweg omreed, werd hij bijna de Vliet in geblazen door een rukwind die eensklaps van de andere kant leek te komen. Achter Adriaan werd getoeterd door een vrachtwagenchauffeur. Hij kon nog ternauwernood tussen de twee overeind blijven. Toen de vrachtauto voorbij was, stak hij weer over naar de juiste kant van de straat en fietste het laatste gedeelte in een rustiger tempo. Beter te laat dan helemaal niet op school. Vlak voordat hij de fietsenstalling inreed, kwam Marco hem achterop.

'Lekker windje hè,' grijnsde hij. 'Ik zag dat je bijna ook in het water was terechtgekomen.'

'Ja, bijna,' antwoordde Adriaan. 'Daar is duidelijk maar weinig voor nodig.' Hij realiseerde zich voor de zoveelste keer, hoeveel geluk zijn familie had gehad.

'Moeilijk hè, die topografie die we moesten leren,' zei Marco, terwijl ze hun fietsen op slot zetten. 'En hoe vond jij die grammaticaopdracht voor Nederlands? Beslist …'

Adriaan luisterde niet meer. Terwijl hij het lyceum binnen liep, realiseerde hij zich dat het leven gewoon doorging, hoe anders hij zich ook voelde. Dat was misschien maar goed ook.

Pasen

Het was Goede Vrijdag, drie april, en Adriaan zat weer in de autobus van Dirksland naar Herkingen. Ditmaal mét Marie, Klaas en de kleine Jaap. De reis had eindeloos geduurd; op de veerboot van Hellevoetsluis naar Middelharnis had de baby de hele tijd gehuild. Marie had wanhopig geprobeerd hem te kalmeren, vooral door de boze blikken van hun medepassagiers, maar het lukte niet. Pas toen ze weer vaste grond onder de voeten hadden, was Jaapje in slaap gevallen. Nu sliep hij gelukkig nog.

Adriaan keek naar buiten. Hij kon goed zien hoe het water had huisgehouden. Bomen stonden er bijna niet meer en de meeste akkers waren kaal. De uitgestrekte weilanden, waar ieder voorjaar paarden en koeien stonden, waren verlaten. Er groeide nauwelijks gras, op veel plaatsen stond nog steeds water. Hij had van zijn vader, die weer hersteld was van zijn longontsteking, gehoord dat de meeste dijken op Goeree-Overflakkee inmiddels weer gerepareerd waren, maar dat het moeite kostte het binnengelopen water helemaal weg te pompen. Hij was benieuwd hoe het met Herkingen was. Zou hij het herkennen?

Op het eerste gezicht zag het dorp er normaal uit. De wieken van de korenmolen draaiden en de meeste andere gebouwen stonden overeind. Op het leugenbankje op het Dorpsplein zaten de bekende bejaarde mannetjes hun sigaartjes te roken. En moeder stond bij de bushalte te wachten.

'Dag jongens, wat heerlijk dat jullie er zijn,' begroette ze hen, terwijl ze Klaas hielp de kinderwagen uit de bus te tillen. 'Dag prachtige kleinzoon, wat een lief mannetje ben je toch.'

Marie legde haar zoon in de wagen en ze wandelden ontspannen naar de Nieuwstraat.

'Hebben jullie een goede reis gehad?' informeerde moeder.

'Prima, alleen heeft het kleine manneke geen zeebenen,' antwoordde Klaas. 'Hij heeft zich niet geamuseerd op de veerboot.'

'Hoe gaat het hier?' vroeg Adriaan, die meer interesse had voor de gang van zaken in Herkingen. 'Is alles weer zoals vroeger, of moet er veel gebeuren?'

'Het ergste is voorbij, het meeste water is weggepompt en de dijken zijn gedicht. Aan de oostkant is het gat van Sieling maar daar hebben wij geen problemen van.'

'Sieling?'

'Een herenboer die beweert dat hij het beter weet dan de deskundigen. Hij heeft een kanaal laten graven van zijn bouwland naar de Grevelingen, om water af te kunnen voeren. Maar het water blijft gewoon stilstaan of stroomt zelfs terug. Bijzondere kerel, die Sieling.'

Ze waren aangekomen bij het ouderlijk huis. Op

de voorgevel was duidelijk zichtbaar dat het water tot dicht onder het slaapkamerraam gekomen was. Er zat een modderig randje. Ook het voortuintje was nog behoorlijk drassig. Adriaan kon zich ineens voorstellen hoe angstig hij geweest zou zijn, als hij erbij was geweest. En hij besefte hoe blij hij was dat zijn familie op tijd had kunnen vluchten.

'Alles komt beslist weer goed,' zei moeder die Adriaan zag kijken. 'Binnenkort spitten we de hele boel om en kijken we of we geld hebben voor een paar nieuwe struiken en vaste planten. Kom, ik ga lekker koffiezetten.'

In de bijkeuken zag alles er normaal uit, de tegels blonken en onder de eenvoudige kapstok stonden vuile schoenen en natte laarzen. Marie liep naar boven om Jaapje in het kinderbedje te leggen, dat voor hem klaarstond. Adriaan trok zijn wollen winterjas en zijn bruinleren schoenen uit en liep de warme keuken binnen. Het rook er overheerlijk naar versgebakken appeltaart.

'Ik dacht dat jullie na die lange reis wel trek zouden hebben in iets lekkers,' zei Corry die uit de voorkamer kwam om haar familieleden te begroeten.

Aan de grijzige waas op de keukenmuur zag Adriaan dat het water ook hier hoog had gestaan.

'Een leuk karweitje voor jou, voor de zomervakantie,' grapte moeder tegen hem. 'We hebben zoveel moeten schoonmaken en repareren, dat we aan deze keukenmuur niet zijn toegekomen.'

'Hm,' antwoordde Adriaan. Het was prettig weer

thuis te zijn. Zijn zusters praatten over de aanstaande bruiloft, want die ging ondanks alles gewoon door. Het zou een eenvoudig feest worden. Echt uitbundig vieren vonden hun ouders niet passend. Maar er zou natuurlijk een prachtige bruidsjurk zijn, een trouwdienst in de mooie oude kerk van Dirksland, die voor het water gespaard was gebleven, en een receptie bij Johans ouders thuis. Voorlopig zouden Corry en haar kersverse echtgenoot daar ook intrekken, want aan huizen was momenteel een gebrek.

'Van de ene bemoeizuchtige moeder naar de andere,' plaagde Klaas zijn schoonzusje. 'Kun je nog steeds je eigen gang niet gaan.'

'Zeg meneertje,' reageerde moeder daarop pinnig, 'wees maar blij dat jij niet bij je schoonmoeder woont.'

'Lijkt me reuzegezellig,' grinnikte Klaas.

Ze moesten allemaal lachen. Toen hoorde Adriaan de achterdeur opengaan en iemand hoesten. Vader kwam de keuken binnenlopen.

'Wat een vrolijke bedoening is het hier. Even mijn handen wassen, dan kan ik jullie tenminste fatsoenlijk begroeten.' Hij gaf iedereen een hand, zijn vrouw een dikke zoen en ging vervolgens in zijn leunstoel zitten.

'Koffie lieverd?' vroeg moeder.

'Graag,' antwoordde hij. Adriaan vond hem er ongezond uitzien, mager en veel ouder dan een paar maanden geleden. Hij had een zware longontsteking opgelopen. Pas na twee weken was hij uit het ziekenhuis ontslagen.

Toen had hij met moeder en Corry nog een week aan de Julianalaan gelogeerd. Maar daarna waren ze teruggekeerd naar Herkingen om alles op te ruimen en schoon te maken. Vader had weinig rust gekregen.

'Bent u ooit teruggeweest bij een dokter?' vroeg Adriaan.

'Welnee, dat beetje hoesten, dat stelt niet zoveel voor. Bovendien had ik teveel om handen, en de dokter heeft ergere gevallen om zich om te bekommeren.'

'Dat is waar,' beaamde moeder. 'Er zijn mensen met allerlei verwondingen uit de stormramp gekomen. En ouden van dagen, die het ineens niet meer aankunnen. Er heerst veel hoofdpijn, droefenis en andere ellende. Desondanks vind ik dat je vader binnenkort naar zijn longen moet laten luisteren.'

'Daar hebben we het later wel over,' bromde vader binnensmonds.

Corry zat van haar vader naar haar moeder te kijken en weer terug. Ze zag er ongeduldig uit. Alsof ze popelde iets te verklappen.

'Vooruit maar, meisje, vertel het hem maar,' lachte moeder.

'Adriaan, ga je morgen mee naar Marinus, aan de Herkingsezeedijk? Hun poes heeft de watersnood wel overleefd en heeft zelfs kleintjes gekregen. We mogen er twee uitzoeken, eentje voor hier en eentje voor jullie in Delft.'

'Echt waar?' Adriaan geloofde zijn oren niet en keek

naar Klaas. 'Krijgen we een huisdier?' Marie moest niets van beesten hebben.

'Dat had je niet gedacht, hè?' zei zijn zwager opgewekt. 'Het leek ons gezellig voor jou en misschien hebben we dan minder last van ongedierte.'

'Dankjewel!' glunderde Adriaan.

Brammetje was verdwenen na de watersnoodramp en niemand had hem meer teruggezien. De kippen hadden het niet allemaal overleefd, maar drie hennen en de haan waren teruggevonden op de zolderkamer.

De volgende morgen wandelden Adriaan en Corry door Herkingen.

'Zijn er eigenlijk nog mensen omgekomen?' vroeg Adriaan.

'Een handjevol,' antwoordde Corry. 'Er was een familie die weigerde te vertrekken, bij een boerderij verderop langs de Grevelingen. Ze wilden hun koeien niet achterlaten. Ze zijn allemaal verdronken.'

'Wat triest. Wie waren het?'

'Van Kesteren, vader, moeder, grootmoeder en twee kleine kinderen. Ze woonden er nog niet lang. Ik vermoed dat je ze nooit ontmoet hebt.'

'Het zegt me helemaal niets. Maar zo alles opgeteld lijkt Herkingen geluk gehad te hebben.'

Corry reageerde niet. Stilletjes liep ze verder.

'Wat is er?' vroeg Adriaan.

'Johan heeft geholpen bij Oude-Tonge. Daar zijn meer

dan driehonderd mensen verdronken. In één straatje zijn
bijna alle huizen door het water weggeslagen. Hij praat
er nauwelijks over, maar het moet een afschuwelijk gezicht zijn geweest. Hij heeft er nog steeds nachtmerries
van, vertelde zijn moeder.'

'Hoe is dat mogelijk, dat zoiets op één plek gebeurt?'

'Het waren verwaarloosde gammele, huisjes. Er woonden vooral arme arbeiders met grote gezinnen.'

'Wat verschrikkelijk.'

Zwijgend liepen ze verder. Langs de Peuterdijk en
daarna rechtsaf over de Kaaidijk naar de haven. Er lagen
geen vissersschepen, die moesten nog gerepareerd worden. Bovendien hadden veel vissers weinig zin opnieuw
uit te varen.

Ze kwamen bij het huis van Marinus en zijn ouders,
dat gelukkig nog overeind stond. Helaas was de schuur
veranderd in een berg planken en ook het houten kip-
penhok was verdwenen. Ze klopten zachtjes op het keu-
kenraam, waarop mevrouw Struijk naar de voordeur
kwam.

'Och Adriaan, je lijkt alweer gegroeid sinds die keer
in Rotterdam. Kom binnen, jullie komen zeker voor de
jonge poesjes?'

Ze nam hen mee naar de bijkeuken, waar de moederpoes in een aardappelkist lag, samen met vijf kleine
pluizenbolletjes.

'Ze zijn geboren in de kelderkast, twee weken geleden. Ik heb ze uiteindelijk gisteren naar de bijkeuken

kunnen verhuizen Eerder mocht ik niet bij de moeder komen. Schattig zijn ze, nietwaar?'

Adriaan knikte. Hij knielde neer en probeerde de kleine katjes te aaien, maar de moederpoes haalde met-een naar hem uit.

'Je kunt beter van een afstandje kijken. Ze laat nog steeds niemand in de buurt komen,' zei Marinus lachend. Hij was net binnengekomen en trok zijn bemodderde kaplaarzen uit.

'Hoe ver zijn jullie?' vroeg zijn moeder.

'Het gat is gedicht, dus we zullen toch droog Pasen kunnen vieren. Vader staat nog even met de buurman te praten.'

Toen hij de vragende blik van Adriaan opmerkte, vervolgde hij: 'Er zat nog een slechte plek onder aan de dijk, achter in onze moestuin. Bij hoogwater borrelde daar water doorheen. Maar dat hebben we verholpen.'

'Hoe gaat het eigenlijk met jullie?' vroeg Corry.

'Met onszelf is alles goed,' antwoordde mevrouw Struijk. 'Wij leven allemaal en onze woning staat nog overeind. Maar mijn man heeft twee zussen verloren, die woonden in Stavenisse. En oom Nicolaas is zijn hele veestapel kwijt. Dergelijke verliezen heeft iedere familie.'

'U hebt natuurlijk gelijk,' erkende Corry, 'maar dat maakt het niet minder verdrietig. Komaan broertje, welke wil jij meenemen naar Delft?'

'Er zit een katertje bij,' wees Marinus, 'dat is precies

jullie Brammetje.'

Adriaan zag het beestje, met zijn rode streepjes. 'Wat een prachtige, die nemen we.'

'Mijn moeder wil ook graag een kater, ze heeft weinig behoefte aan jonkies,' lachte Corry.

'Dan moet je die donkergrijze hebben, met dat kleine zwarte vlekje op zijn kinnetje,' wees mevrouw Struijk. 'Jullie begrijpen dat we ze nog een paar weken hier willen houden. Ze hebben hun moeder nog hard nodig.'

Adriaan knikte. Hij begreep het, maar vond het wel jammer. Na een laatste blik op de jonge poesjes gingen ze weer naar buiten.

'Doe de hartelijke groeten aan je ouders. Tot binnenkort,' zei Marinus.

'Tot de zomervakantie,' groette Adriaan terug.

'Ja, tot de zomervakantie.'

Thuis kwam de geur van gebakken eieren hen tegemoet. Moeder deed vrolijk lachend de voordeur open. 'De kippen leggen weer! En dat met Pasen.'

Christel van Bourgondië
Dikkedunne Merle

Op een klassenfoto ziet Merle een nijlpaard en
tot haar schrik ontdekt ze dat zij dat zelf is.
Ze is zo megadik, dat ze niet veel meer kan en
ook geen vrienden heeft.
En nu willen ze haar ook nog opsluiten in
een dierentuin.
Maar dan komt er een woest uitziende vrouw
langs, die beweert dat ze Merle zal redden.

Met tekeningen van Alice Hoogstad

Luc Descamps
Gatenkaas

Voor hun werk vertrekken Aukes ouders naar
Congo … voor een heel jaar! Auke mag na lang zeuren
die tijd bij opa gaan wonen. De grote Theodorus-
Hypoliet Vanderkassel is wat blij dat zijn kleindochter
bij hem intrekt en hij neemt haar op sleeptouw tijdens
zijn heldhaftige verkenningstochten in het grote bos
achter zijn huis. Maar opa's geheugen laat het regelmatig afweten en wanneer twee gevaarlijke gangsters zijn
pad kruisen, moet hij zijn hersens pijnigen om zich te
herinneren waar hij die dekselse karabijn ook alweer
heeft gelaten …
Gatenkaas is een grappig, ontroerend en spannend
verhaal over een zelfstandig tienermeisje en haar
dementerende opa.

Met tekeningen van Harmen van Straaten

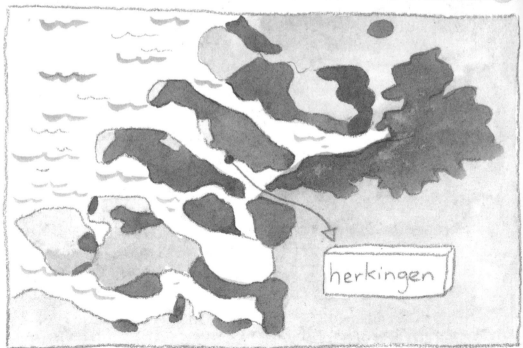

herkingen